Aider à grandir

D0273371

Aider à grandir

Propos sur l'éducation

Jules
Beaulac

NOVALIS

Aider à grandir
est publié par Novalis.

Couverture: Murale extérieure *Main dans la main,* World Exchange Plaza, rue Queen, Ottawa; réalisée par les élèves de la Stittsville Public School, Ontario, octobre 1992.

Photographies: Couverture: Michel Maillé; dos de la couverture: Brodeur et Poitras; p. 97: Don Kennedy.

© Copyright 1993: Jules Beaulac.

© Copyright 1993: Novalis, Université Saint-Paul, Ottawa, Ontario.

Dépôts légaux: 4e trimestre 1993
Bibliothèque Nationale du Canada
Bibliothèque Nationale du Québec

ISBN: 2-89088-646-8

Reproduction interdite.
Tous droits d'adaptation, de traduction réservés pour tous pays.

Imprimé au Canada

Données de catalogage avant publication (Canada)

Beaulac, Jules

Aider à grandir: propos sur l'éducation

ISBN 2-89088-646-8

1. Éducation. 2. Réalisation de soi. 3. Foi - Développement. 4. Engagement. 5. Éducateurs. I. Titre.

LB41.B42 1993 370'.1 C93-097291-0

«ÉDUQUER,
C'EST AIDER À GRANDIR.»

Paul Tremblay

«L'UN DES PLUS GRANDS RESSOURCEMENTS
DE LA PERSONNE,
C'EST LE SENTIMENT DE GRANDIR.»

Jean Vanier

Du même auteur

Aux Éditions L'Essentiel (Roxboro, Qc)
Des gens et des choses (1993)

Aux Éditions Fides (Montréal, Qc)
Tu nous as tant à cœur! (1989)

Aux Éditions Novalis (Ottawa, On)
Viens au repas du Seigneur (1993)
Come to the Lord's Supper (1993)

Aux Éditions Paulines (Montréal, Qc)
Priez comme vous voulez, mais priez! (1984)
Je prie comme je peux! (1987)
Seigneur, je sais bien que tu m'aimes! (1988)
L'Église de chez nous (1989)
Et Jésus... dans notre vie? (1990)
Si tu cherches le bonheur... (1992)

À ma mère,
qui fut ma première éducatrice.

À mes professeurs,
qui m'ont instruit
mais m'ont surtout aidé à grandir.

Aux gens de tous les jours,
qui, par leur amitié,
contribuent à ma croissance continuelle.

Quand j'étais tout petit,
pas plus haut que trois pommes,
je passais mes vacances d'été à la campagne,
chez mes grands-parents.
Mon grand-père possédait une grande terre
qu'il cultivait lui-même
avec succès et amour.

Quand arrivait le temps des récoltes,
il m'amenait souvent avec lui après le souper
au beau milieu d'un champ de blé.
Les épis se balançaient en silence
sous la brise du soir
et ils se miraient
dans la lumière du soleil couchant:
on aurait dit des blés d'or.
Et alors,
mon grand-père, immanquablement, me disait
avec un éclair de fierté dans les yeux:
«Écoute..., entends-tu le blé pousser?»
Il était tellement convaincu
que son blé ne demandait qu'à grandir
qu'il entendait son champ tout entier pousser
dans le calme du soir.

Je n'ai jamais oublié cette réflexion de mon aïeul:
elle illustrait bien l'amour
qu'il entretenait pour les «fruits de la terre»,
comme il disait si bien,
et elle me faisait découvrir le sage et le poète
qui se cachaient derrière son visage buriné
et ses épaules trapues.

Et si les humains étaient comme le blé de mon grand-père,
si on les aimait
et si on prenait le temps
de les regarder et de les écouter,
oui sûrement,
on les entendrait grandir eux aussi.

Petit Pierre marche avec petit Jean
sur le trottoir
tout près de la maison paternelle.
Du haut de leurs cinq ans,
ils sont nettement «au-dessus de leurs affaires».
Ils parlent de tout et de rien.
La vie est belle.
Pas de problèmes.

Survient Paulot, un jeune du voisinage:
il file à grande vitesse sur son «rouli-roulant».
Il n'a pas vu nos deux compères
qui ont juste le temps de se jeter par terre
pour éviter cette tornade vivante.
Paulot, du haut de ses douze ans,
revient sur ses pas
et tance joliment Pierrot et Jeannot
qui «sont toujours dans les jambes de tout le monde»:
«Ça n'a que cinq ans et ça prend toute la place!»
Pierrot ne l'entend pas ainsi:
«D'abord, c'est Jeannot qui a cinq ans;
moi, j'ai cinq ans et demi,
ce qui est bien plus grand!»
Et Jeannot de dire à Paulot:
«Quand je serai grand,
tu ne me parleras pas sur ce ton!»

Toujours ce désir de grandir,
ce besoin impérieux d'être plus grand que l'autre!
Mais qu'est-ce que grandir?
Où placer la vraie grandeur?
Pouvons-nous grandir indéfiniment?

Jésus marchait sur la route avec les douze apôtres.
Et madame Zébédée, la mère de Jacques et Jean, était avec eux.
Elle s'approche du Maître avec ses deux grands garçons
et lui demande:
«Permets que mes deux fils soient assis
à ta droite et à ta gauche
quand tu siégeras sur ton trône de gloire!»
Que voilà une requête ambitieuse, digne d'une mère
qui voit grand pour ses fils!

L'histoire raconte que les dix autres qui avaient entendu la mère
ne le prirent pas ainsi.
«Ils s'indignèrent», rappelle l'Écriture.
Autrement dit, ils piquèrent une belle crise de jalousie.

Jésus en profita
pour leur servir un enseignement bien important.
«Vous avez raison de vouloir être grands.
C'est normal.
Mais, je vous en prie,
mettez la grandeur à sa vraie place,
c'est-à-dire dans le service des autres.
Regardez: vous m'appelez Maître et je le suis.
Et pourtant,
je ne suis pas venu pour être servi mais pour servir.
C'est pareil pour vous:
si vous voulez devenir grands,
apprenez à vous mettre au service des autres
et ayez un cœur d'enfant.»

(D'après Matthieu 18, 1-5 et 20, 20-28)

Aider à grandir,
n'est-ce pas cela aussi?
Retrouver un cœur de pauvre
qui attend tout de Dieu
et se donner des mains de service
qui se tiennent à la disposition des gens dans le besoin?

Sommaire

INTRODUCTION

Qui de nous ne cherche pas à grandir? Notre désir de grandir, bien loin de s'atténuer avec l'âge, ne fait que s'intensifier. En cela, nous ressemblons aux plantes qui ont un besoin impérieux de pousser tant qu'elles sont en vie.

Nous sommes tous en quête de croissance. À tout âge. Dans toutes les situations de notre vie. Quels que soient le métier ou la profession que nous exerçons. Que nous soyons croyants ou non. Quand nous cessons de grandir dans notre être profond, nous constatons avec tristesse que la source de notre vie se tarit, que nous vieillissons, que nous dépérissons même.

Voici un livre sur l'éducation, c'est-à-dire sur cet art difficile et merveilleux entre tous qu'on est allé jusqu'à appeler «l'art des arts» (Joseph Duhr) et qui consiste à aider les humains à grandir. Toutefois ce livre est loin d'être un traité. C'est un recueil de pensées diverses, de réflexions de vie, d'observations sur la nature. Il a été rédigé à partir de conférences que j'ai données ici et là depuis quelques années à des auditoires aussi variés que des enseignants, des personnes du troisième âge, des bénévoles, etc. Ces causeries ont une chose en commun: elles portent toutes de près ou de loin la préoccupation de la croissance humaine et chrétienne et elles montrent toutes à leur manière que toute éducation est permanente.

Ces *causeries*, je les ai reproduites presque telles quelles, en m'efforçant toutefois de passer du langage parlé au langage écrit: il m'est apparu important en effet de leur garder autant que possible leur facture originelle. Je leur ai cependant fourni un «cadre» composé principalement d'*anecdotes* ou de *portraits* permettant de les introduire et de les mieux comprendre. J'ai enfin ajouté des «capsules» et un «examen» de «croissance» qui, dans leur forme synthétique, permettent des regards complémentaires sur les propos de ce livre.

Nous avons tous besoin d'*éducateurs,* c'est-à-dire de «jardiniers» qui nous aident à grandir, qui agissent envers nous comme des accompagnateurs dans notre développement personnel. Nous avons besoin également de «milieux» capables de favoriser notre épanouissement; nous en avons souvent même plus besoin que de personnes. Les environnements dans lesquels nous vivons nous aident-ils en ce sens? Tant au plan humain qu'au plan chrétien?

Puissent ces réflexions nous aider les uns et les autres à continuer à grandir «en sagesse et en grâce devant Dieu et devant les humains» *(Luc 2, 52)!*

Avec beaucoup d'amitié!

Jules

1 AIMER LA VIE

«JE VEUX TOUTE, TOUTE, TOUTE,
LA VIVRE, MA VIE...»

Angèle Arsenault

«JE SUIS LA VIE.»

Jean 14, 6

Marc-André

Marc-André est un bon vivant.
Après son petit déjeuner,
il aide sa femme Élise:
il nettoie la table, lave la vaisselle
et époussette les meubles.
Ensuite il lit tranquillement son journal
et donne les principales nouvelles à Élise.
Puis, il s'assoit sur le perron
et regarde passer les gens.
L'après-midi, il va jouer aux cartes avec ses amis
dans le parc du centre-ville.
Il y fait toutes sortes de rencontres
et il y voit toutes sortes de gens:
les petits enfants avec leur maman,
les jeunes avec leurs copains ou leurs copines,
les personnes âgées avec leur pipe ou leur cigare.
Il revient à la maison tout plein de vie.
Il répète souvent:
«Je suis bien avec les gens;
dès que je suis avec du monde,
je me sens revivre.»

De fait, Marc-André ne vieillit presque pas.
Les années ne semblent pas l'atteindre.
Il aime bien trop la vie
pour se laisser aller.

Antoinette

Antoinette n'a plus vingt ans.
En fait, elle a quatre fois vingt ans,
«ce qui est bien différent d'avoir quatre-vingts ans»,
comme elle l'affirme avec conviction.
Antoinette est grand-mère et même arrière-grand-mère:
elle passe des heures chaque jour
à écouter ses enfants et ses petits-enfants
qui lui téléphonent pour tout et pour rien.
Elle parle peu, elle écoute,
et à mesure que la conversation avance,
ils trouvent eux-mêmes la solution à leurs problèmes.
Elle ne donne pas de conseils,
elle écoute.

Mais sa bonté remplie de sagesse et de tendresse
passe à travers son écoute.
Tout le monde grandit avec elle.

Antoinette a souvent la visite de ses petits-enfants.
Ils arrêtent la saluer au retour de l'école.
Ils savent qu'ils vont toujours trouver chez elle
une oreille attentive à leurs propos d'enfants
et une pointe de tarte pour leur estomac affamé.

Antoinette a le goût de la vie:
elle le cultive tout naturellement
et elle trouve le moyen de le donner aux autres.

Hector

Hector a pris sa retraite à soixante-cinq ans.
Depuis le temps qu'il l'attendait!
Il s'est promis de ne rien faire,
de flâner, de se reposer, de «faire la paresse»,
bref, de penser à lui, rien qu'à lui.
Et c'est ce qu'il fait effectivement,
depuis trois ans déjà.
Tout de suite après son déjeuner,
il allume sa pipe
et s'installe devant son téléviseur.
Il se paie à chaque jour
un bon huit heures de petit écran.
Il vit assis
devant sa télé et devant sa table à manger.
Il a déjà ajouté autour de sa ceinture
un bon trente livres de lard!
Son derrière aussi a pris de la circonférence!

Le reste du temps,
il fait des emplettes avec sa femme:
c'est son seul exercice.
À vrai dire,
il a aussi beaucoup développé sa langue:
il ne manque pas une occasion
de bougonner, de grincer, de grogner.

Sa femme le trouve encombrant
et se surprend à penser
que la vie était bien meilleure
quand Hector travaillait tous les jours.
Quand, par malheur, quelqu'un lui demande un service,
Hector refuse systématiquement:
«J'ai assez travaillé dans ma vie!
Laissez-moi tranquille!»
Il ne se rend pas compte
qu'en agissant ainsi
il prive les autres de ses talents
et se nuit considérablement.
Hector vieillit mal.
Il niaise.
Il s'ennuie et ennuie tout le monde.
Il pense trop à lui et à ses aises
et pas assez aux autres.

Pauvre Hector!

Renée

Renée est une personne active.
Elle ne s'ennuie jamais.
En plus des occupations de la maison,
elle trouve du temps
pour «détricoter» des vieux chandails de laine
et pour en «retricoter» des tuques et des mitaines
qu'elle donne ensuite aux enfants pauvres du quartier.
Un après-midi par semaine,
elle va au Centre communautaire de son village,
au local du Cercle des Fermières:
elle classe du linge pour le vestiaire des indigents
et coud des courtepointes.
Pour les couvre-pieds,
on peut dire qu'elle a la main:
elle en a tant fait durant sa vie.

Renée ne voit pas le temps passer.
On est bien avec elle et elle est bien avec les gens.
Elle est heureuse et fait des heureux.
Et son cœur reste toujours jeune.

Henri

Henri a déjà atteint le cap des soixante-quinze ans.
Mais il est encore vert.
Il a pris sa retraite depuis dix ans
mais il n'a pas cessé de travailler pour autant.
Comme il est habile de ses mains,
il est toujours disponible
pour des petits services à rendre
à ses voisins et à ses enfants:
un robinet à réparer,
un mur à laver,
un plancher à refaire,
une pelouse à tondre.
Henri le fait à sa vitesse:
il a tout son temps.
Ce qui est merveilleux,
c'est qu'il se sent utile:
«Je suis encore capable de travailler»,
se plaît-il à dire avec humour et fierté.

Henri vieillit bien.
Il n'a plus les responsabilités de son jeune âge
qui commençaient à lui peser beaucoup.
Mais il ne «niaise pas».
Son grand âge ne l'affecte pas.
Il est en forme.
Il est devenu une sorte de vieux sage.
Et son entourage l'apprécie vraiment.

Il me semble que **l'amour de la vie** devrait être la magnifique obsession de nos existences. Voici pourquoi, à mon sens.

D'abord, n'est-ce pas là le message et le désir de Jésus lui-même: «Je suis venu pour qu'ils aient la vie et qu'ils l'aient en abondance» *(Jean 10, 10)?* Et puis, Jésus n'est-il pas le Vivant, la Vie *(Jean 14, 6)?* N'est-il pas Celui qui justement nous a rendus capables nous aussi de vivre pour toujours?

Regardez par la fenêtre au printemps. C'est le temps où la nature revient à la vie: les arbres viennent de fabriquer des feuilles d'un vert tendre toutes pétillantes de vie; les oiseaux font leur nid pour y déposer leurs œufs en espérant y déposer en même temps la vie; les insectes sortent pour nourrir les hirondelles et... pour nous piquer; les animaux donnent naissance à leurs petits... De partout, la vie éclate.

Nous-mêmes, nous sommes faits pour la vie. Il y a en nous un désir de vivre qui ne s'éteint pas avec l'âge, bien au contraire: comme le dit la chanson, nous voulons «toute, toute, toute la vivre», notre vie. Nous sommes également des donneurs de vie: rien ne nous rend plus heureux que de voir quelqu'un repartir revitalisé après nous avoir rencontrés. Et quel papa ou quelle maman ne sourient pas de bonheur en voyant le petit bébé à qui ils ont donné la vie? Et n'est-il pas vrai que nous recherchons dans nos relations avec nos semblables des personnes qui nous font vivre bien plus que des gens qui nous font mourir?

Causerie donnée à des membres des Clubs de l'Âge d'Or.

Nous sommes appelés à être de grands vivants, à faire des vivants, à aimer la vie.

Voici, bien simplement, quelques pistes de vie.

Mettre du positif dans sa vie

Mettre du positif dans sa vie, c'est se donner des chances de mieux vivre. C'est aussi en donner aux autres. C'est «améliorer sa qualité de vie», comme on dit aujourd'hui.

Si, par exemple, nous nous habituons à regarder les gens avec un préjugé favorable, à leur prêter des bonnes intentions plutôt qu'à les juger avec un œil retors, nous vivrons mieux. Si nous n'enfermons pas trop vite les gens dans le cercle étroit de nos idées toutes faites, si nous leur donnons des chances en étant plus tolérants qu'intransigeants, plus pardonnants que condamnants, plus encourageants que démobilisants, plus pacifiants que guerroyants, nous verrons la vie d'un œil bien meilleur.

Si, au contraire, nous faisons partie des gens qui développent avec le temps une mentalité de braillards, qui trouvent à redire sur tout et sur tous, si nous passons notre temps à critiquer pour tout et pour rien, alors, soyons-en sûrs, nous nous dégoûterons petit à petit et nous dégoûterons les autres. Le bon tempérament a bien meilleur goût que le mauvais caractère.

Si nous gardons loin de nous la rancune, la vengeance, la jalousie et la haine, nous interdisons à autant de vipères d'envahir le jardin de notre cœur. Car, nous le savons, ce sont elles qui empoisonnent l'existence de tout le monde, y compris la nôtre. Appliquons-nous plutôt à ne pas trop goûter aux potions mortelles qui pourraient mijoter dans notre marmite personnelle, comme la peur de l'avenir, la crainte de manquer d'argent pour nos vieux jours, le mépris de nous-mêmes, le sentiment de culpabilité, le complexe de persécution, la nostalgie du temps passé, la critique des jeunes, etc.

Et surtout, aimons-nous nous-mêmes d'un bon amour. Ne craignons pas de cultiver en notre cœur une bonne estime de nous-mêmes (cf. *Romains 12, 3)*. Trouvons-nous des qualités: nous en avons sûrement! Sans devenir vaniteux ou prétentieux et sans nous prendre pour d'autres, sachons être contents de nous-mêmes. C'est le premier pas pour être contents des autres... et pour les aimer.

Comme disent les jeunes, dégageons de l'amour... Dégageons de bonnes «vibrations»: elles font tellement de bien aux autres! Et si nous faisons du bien aux autres, nous nous en faisons à nous aussi, c'est sûr. Aimons et nous serons aimés.

Autrement, nous deviendrons petit à petit des ours solitaires ou des porcs-épics tous pics dehors. Et nous nous étonnerons par la suite que personne ne s'occupe de nous, ne s'intéresse à nous et ne nous aime! Et le pire, c'est que si nous ne sommes pas intéressants pour les autres, peu à peu nous en arriverons à n'être intéressants pour personne, même pas pour nous-mêmes. On n'attire pas les mouches avec du fiel mais avec du miel: nous le savons pour les mouches... le savons-nous pour nous-mêmes?

N'oublions pas que, souvent, quand on est fatigué on devient fatigant, quand on est énervé on devient énervant... Mais le contraire est aussi vrai: quand on est reposé on est reposant, quand on est détendu on est détendant... Alors, si nous sommes positifs envers les autres, nous courons de bonnes chances qu'ils le soient envers nous et que nous le soyons envers nous-mêmes également.

Rendre service

Dans la mesure de nos possibilités, soyons des personnes serviables. Si nous le pouvons, faisons du bénévolat. Il y a tellement d'organismes, d'œuvres, d'institutions à qui nous pouvons offrir nos services (paroisses, loisirs, clubs divers, etc.).

Si nous développons des centres d'intérêt en dehors de nous-mêmes, nous aurons moins de temps et de tentations pour cultiver une centration excessive sur nous-mêmes, sur nos bobos, nos malaises, nos caprices, nos phobies, nos inquiétudes, nos haines, nos rancunes, nos jalousies, etc. Pensons aux autres plutôt qu'à nous-mêmes: nous serons plus heureux et nous rendrons les autres plus heureux. Et nous aurons moins tendance à devenir grincheux, acariâtres, amers ou aigris, frustrés ou complexés.

Donnons de notre temps, donnons de nos talents, donnons de notre affection. Gardons-nous de l'espace pour accueillir les autres avec tout notre cœur, pour les écouter avec attention, pour leur faire profiter de notre expérience de vie. Donnons même de notre argent si nous en avons et si nous le pouvons: nous ne serons pas plus pauvres pour autant et nous aurons l'inestimable satisfaction d'avoir contribué au bonheur des autres.

En bout de ligne mais également en cours de route, nous nous sentirons utiles. Bien plus, nous serons véritablement utiles pour d'autres personnes. Et c'est une chose bien importante dans la vie que de se savoir utile, que de compter pour quelqu'un. C'est un ressourcement capital pour continuer à grandir.

Garder une belle place à Dieu au cœur de sa vie

Gardons-nous des temps et des lieux pour la *prière:* prions dans notre cœur, dans notre chambre, dans notre chaise berceuse, à l'église... Prions pour nous mais aussi pour les autres, particulièrement pour les plus souffrants et pour les oubliés de la vie.

Lisons et relisons la *Parole de Dieu.* Méditons-la. Ruminons-la. Ayons un faible tout particulier pour l'Évangile... qui est la plus sûre route du bonheur, un trésor inépuisable de sagesse, de paix, d'amour.

Offrons notre *souffrance...* c'est une excellente forme de prière. Et c'est parfois la seule que l'on puisse faire. On disait autrefois: «Chanter, c'est prier deux fois»... Il faudrait peut-être ajouter: «Souffrir, c'est prier trois fois»!

N'oublions pas que c'est souvent dans la prière que l'on trouve ou retrouve le sens de sa vie.

Conclusion

Sourions, chantons, dansons... Donnons des poignées de main plutôt que des coups de pied! Ayons la main ouverte plutôt que le poing fermé! Embrassons les gens, ne les mordons pas!

Que notre œil soit bienveillant et que notre main soit bienfaisante!

Soyons de bonne humeur... la plupart du temps... autant que possible... et même un peu plus!

Cultivons l'humour: celui que nous donnons aux autres, mais aussi celui que nous recevons des autres. Si nous ne valons pas une risée, nous ne valons pas cher! Rappelons-nous que l'humour en a sauvé plusieurs! N'ayons pas une face de «bouledogue»ou une gueule de «pitbull»! Que nos lèvres aient plus la forme d'un cœur souriant ou d'un soleil éclatant que celle d'un accent circonflexe!

Soyons sérieux mais ne nous prenons pas trop au sérieux. Prenons les autres au sérieux mais jamais au tragique. Ayons du respect et de l'attention pour toute personne qui croise notre chemin. Elle nous le rendra tôt ou tard. Tout est important dans la vie, même les choses les plus simples, mais rien n'est grave.

Et surtout aimons... les gens, le Seigneur et nous-mêmes... et la vie!

2 S'ENGAGER

GROS PARLEURS...
PETITS FAISEURS?

«HEUREUX LE SERVITEUR
QUE LE MAÎTRE TROUVERA
EN PLEIN TRAVAIL!»

Luc 12, 43

Sylvie et les autres...

Sylvie est un chef naturel.
Elle n'a qu'à lever le petit doigt
et ses confrères et consœurs la suivent.

L'autre jour,
au cours d'écologie,
toute la classe a été sensibilisée
aux dégâts causés à l'environnement
par les canettes de bière et de boisson gazeuse
qui traînent ici et là
et par les détritus
qui jonchent la berge de la rivière.

Sylvie et ses amis ont pris la décision
de nettoyer les deux côtés de la rivière
tout au long de son parcours dans la ville.
Il a fallu des permissions,
des râteaux, des pelles, des gants,
des sacs à ordures,
des brouettes,
et finalement un camion...
et surtout beaucoup de bonne volonté.

N'empêche que durant plusieurs fins de semaine,
une bande de jeunes ont mis du temps et de l'énergie
pour remplir le mandat qu'ils s'étaient donné.
Aujourd'hui, la rivière coule plus joyeusement
au beau milieu de deux rives bien propres.

Les gens de la ville sont bien contents.
Ils y pensent à deux fois
avant de jeter leurs déchets par terre.
Et les jeunes sont très fiers
d'avoir contribué à embellir leur ville.

Jean-Pierre et ses amis

C'était presque le temps de Noël.
Jean-Pierre, qui vit dans une famille aisée,
se préparait aux Fêtes:
il avait fait sa liste de cadeaux, de sorties...
lorsqu'il entendit un message à la radio:
on soulignait que plusieurs personnes se retrouveraient
seules et sans le sou pour fêter Noël.
Cela fit réfléchir Jean-Pierre.
Il en parla à ses amis.

Après quelques «jases»,
ils décidèrent de faire quelque chose
pour ces personnes.
Leur imagination et leur grand cœur
les amenèrent à plusieurs projets:
ils mirent sur pied une équipe de jeunes
qui iraient visiter au moins une fois des personnes seules;
ils firent des paniers de Noël
pour des familles pauvres qu'ils avaient découvertes;
ils montèrent même une pièce de théâtre
pour les enfants du quartier.

Cela n'alla pas tout seul:
ils eurent beaucoup de démarches à faire,
des encouragements à donner
à ceux qui voulaient abandonner en cours de route,
des pratiques longues et fréquentes pour la pièce de théâtre,
des heures de travail pour les paniers...

Mais comme ils étaient heureux
quand arriva Noël!
Le Centre communautaire était plein à craquer
pour la pièce de théâtre.
Quand ils virent la joie qu'ils avaient allumée
dans le cœur des gens
qui recevaient leurs paniers,
ils s'estimèrent largement payés
pour leurs efforts.
Et quand ils visitèrent les personnes seules,
ils s'aperçurent que leur visite
les rendait au moins tout aussi heureux
que les gens qu'ils rencontraient.

Ce fut un bien beau Noël pour tout le monde.

Réjean

Réjean menait une petite vie bien tranquille.
Il avait son travail à l'école,
il avait sa famille,
il avait ses loisirs: golf et natation.

Un jour, ses concitoyens lui demandèrent
de faire partie du Conseil de ville.
Jamais il n'avait fait de politique
et il se gardait bien de se mêler à la vie publique.
Les gens lui firent remarquer
qu'il était établi dans le quartier depuis des années,
qu'il connaissait bien les problèmes de son milieu
et qu'avec son instruction il serait pour eux
un représentant aussi efficace que fiable.

Réjean, qui aimait bien sa vie «rangée»,
commença par dire un «non» poli mais ferme.
Mais, d'une part, les citoyens revinrent à la charge
et, d'autre part, une petite voix intérieure ne cessait
de lui dire qu'il lui fallait faire quelque chose
pour la vie du quartier.
Il en parla à son épouse et à ses grands enfants.
Ils furent d'accord et l'encouragèrent grandement
à se présenter aux prochaines élections municipales.
Il posa sa candidature et gagna.

Depuis ce temps,
Réjean se fait le serviteur des gens de son quartier.
Il les écoute, leur rend visite
et fait tout ce qui est en son pouvoir
pour leur rendre la vie plus agréable.

Réjean est content de mettre ses talents
au service de sa communauté.

Hélène

Par un concours de circonstances particulier,
Hélène fut mise en contact
avec quelques femmes qui avaient été violentées:
battues par leur conjoint,
agressées dans la rue
ou harcelées au bureau.
Hélène eut à les écouter,
à les défendre même,
bref, à les aider.
Cette expérience lui donna à réfléchir,
elle qui avait un époux en or
et un travail très sécuritaire.

Après en avoir discuté avec quelques amies,
elle décida d'ouvrir une maison d'accueil
pour les femmes victimes de violence.
Ce ne fut pas facile:
il fallut des permissions nombreuses,
il fallut aussi des subventions,
il fallut recruter du personnel,
il fallut trouver un local discret.
Il fallut aussi convaincre les membres de sa famille.
Il fallut enfin se faire accepter des voisins.

Mais, aujourd'hui, Hélène a «sa» maison.
Elle s'y dévoue avec amour et compétence.
C'est incroyable
les services qu'elle et ses compagnes rendent à ces femmes,
le service qu'elles rendent à la société
et le service qu'elles se rendent à elles-mêmes.

L'engagement

À première vue, l'expression semble usée. Depuis le temps qu'on l'emploie «à toutes les sauces»... et depuis qu'elle a fait les beaux jours de l'Action Catholique! Et pourtant, si le mot semble dépassé, la réalité qu'il sous-tend est toujours d'actualité. Notre monde aura toujours besoin de gens capables de véritables engagements.

Voici deux approches qui nous permettront, je l'espère, d'approfondir ce qu'est l'engagement.

La Bible

Nous connaissons tous cette histoire que Jésus raconte à propos de ces deux fils que le père veut envoyer travailler à sa vigne *(Matthieu 21, 28 s.)*. Le premier a dit «oui» mais il a fait «non»; le second a dit «non» et a fait «oui». C'est le second qui en vérité s'est engagé. Le premier n'a que «turluté» de belles paroles. Ailleurs le Seigneur affirme également: «Que votre oui soit oui et que votre non soit non» *(Matthieu 5, 37)*. Le «oui» dont il est question ici, on le comprend facilement, n'est pas un assentiment du bout des lèvres mais bien plutôt un véritable engagement de toute la personne.

De même l'apôtre saint Jacques, au chapitre deuxième de sa lettre, nous rappelle que la foi sans les œuvres est une foi morte (v. 17). L'engagement suppose plus que des paroles, il commande des

Conférence donnée aux Surintendants et Surintendantes des Conseils scolaires francophones de l'Ontario.

actes. L'apôtre Jean dit sensiblement la même chose dans sa première lettre: «Petits enfants, n'aimons ni de mots ni de langue, mais en actes, véritablement» (v. 19).

Jésus n'a pas reculé devant l'engagement qu'il avait pris envers son Père et envers l'humanité. Il s'est engagé jusqu'à la mort qui l'a conduit jusqu'en résurrection.

L'expérience

De quoi est fait l'engagement? Qu'est-ce qui caractérise les «gens engagés»? Quels sont les «ingrédients» d'un engagement authentique? Une foule de choses, évidemment: qualités, aptitudes, charismes, etc. En voici quelques-unes.

Le sens des responsabilités

Être responsable, c'est *répondre de quelque chose à quelqu'un;* c'est être quelqu'un sur qui on peut se fier.

On devine facilement l'importance en éducation de favoriser la prise en charge de responsabilités, de faire confiance. Il s'agit de former des gens capables précisément de répondre à la confiance qu'on met en eux.

La personne responsable qui s'engage en quelque chose y met tout son cœur, toutes ses énergies, tous ses talents.

La maturité

La maturité marche main dans la main avec le sens des responsabilités. La personne mature est naturellement responsable. Et la personne qui assume des responsabilités mûrit inévitablement.

En éducation, cela signifie qu'il est capital de donner et de prendre des responsabilités pour favoriser la maturation des personnes. Cela signifie également qu'il faut se préoccuper de susciter des engagements proportionnés à l'âge et aux capacités des personnes: les jeunes ne sont pas des adultes, mais ils ne sont pas des bébés non plus.

L'esprit de continuité

S'engager pour cinq minutes, c'est bien, mais c'est relativement facile. S'engager pour un service léger, c'est bien, mais c'est relativement aisé. En fait, c'est à la fidélité que le véritable engagement nous renvoie. Une parole donnée est une parole qui ne se reprend pas; une promesse faite est une promesse à tenir. C'est aussi à la constance dans le travail que l'esprit de continuité renvoie.

En éducation, cela signifie qu'il faut apprendre à durer, et parfois à «endurer», dans un engagement pris. S'engager à court terme vaut mieux que ne pas s'engager du tout, mais c'est dans l'engagement à moyen et à long terme que l'on se forme surtout. Cela signifie également apprendre à être fidèle à ses engagements de vie mais aussi d'action, de projets, etc. Ces engagements de toute une vie ou à long terme vont souvent à l'encontre de notre civilisation de l'éphémère, du prêt-à-porter et du «prêt-à-jeter» (Alvin Toffler). Les engagements ne sont pas des «Kleenex»... même si notre temps est aux changements de carrière fréquents!

La discipline

Il faut de la discipline pour penser et organiser l'action mais aussi pour la réaliser. S'il faut plus que jamais de l'intuition, de l'imagination, il faut aussi des règles de travail, de la méthode, pour articuler sa pensée et structurer l'action.

En éducation, on touche ici à l'aspect «ascétique» de l'engagement: s'astreindre à réfléchir, à recommencer, à travailler; accepter des essais, des réunions, des pratiques, etc. Ce qui paraît simple au point d'arrivée est la plupart du temps le fruit d'un travail complexe; les meilleures synthèses viennent d'analyses nombreuses et profondes. Combien de prises de vues, de milliers de mètres de pellicules faut-il pour réaliser un film? Combien de répétitions faut-il à un artiste ou à une troupe pour donner un spectacle convenable? «Vingt fois sur le métier remettez votre ouvrage, polissez-le sans cesse et le repolissez» (Boileau). Engagement et facilité vont rarement ensemble.

La capacité de travailler avec d'autres

Le travail en équipe est une loi presque «incontournable» de l'engagement: elle l'est aujourd'hui et elle le sera tout autant demain.

Il faut s'habituer à avoir du génie en groupe: les comités, les réunions, les colloques, sont de plus en plus une denrée nécessaire de l'engagement, autant de façons de s'impliquer collectivement, même si, il faut bien le reconnaître, il s'y perd parfois bien du temps. C'est sans doute le prix à payer pour approfondir et mener l'engagement à terme.

Cela aussi est une forme de discipline.

La capacité de prendre des décisions

L'engagement, on le devine sans doute, n'est pas simplement un service à rendre, une simple action à exécuter. C'est aussi décider, seul ou avec d'autres, après réflexion et consultation, mais décider, c'est-à-dire trancher et en porter le poids avec courage.

On voit combien cette qualité de l'engagement est importante en éducation. Il s'agit le plus possible de former des décideurs, non pas seulement de simples exécutants, et encore moins des «suiveux».

La capacité, toujours actuelle, de prendre des décisions apparaîtra de plus en plus comme une qualité capitale dans l'avenir en raison de l'importance et de la quantité des situations inédites qui se présenteront sans répit et de l'urgence des solutions qu'elles réclameront. La planète tourne de plus en plus vite et des décisions de plus en plus nombreuses devront se prendre pour le meilleur.

La vision

Les personnes qui s'engagent sont appelées à avoir le plus de vision possible. Qu'est-ce qu'avoir de la vision? C'est cette capacité de lire non seulement le présent, mais aussi le futur, et encore plus la capacité de lire le présent en vue du futur: l'avenir est déjà dans le présent.

Autrement on risque de s'enfoncer dans la myopie de l'action. On peut occuper ses journées à travailler jusqu'à se faire mourir mais sans aucune vision d'avenir; on peut passer sa vie dans le court terme. On risque alors de verser dans l'«immédiatisme» de l'action ou dans la simple répétition de l'action. On a de plus en plus de mal à prendre du recul, à prévoir, à «préviser» l'action.

L'avenir appartient aux «visionnaires», c'est-à-dire aux personnes qui ont de la vision, à celles qui ont le regard perçant et profond, qui sont un peu prophètes sur les bords, qui ont de l'intuition... Tous ne possèdent pas ce «regard» au même degré, c'est sûr. Mais tous peuvent le développer, surtout s'ils le «pratiquent» avec d'autres.

En éducation, cela peut vouloir dire apprendre aux jeunes à bien choisir leurs engagements, à ne pas se laisser enfermer et étouffer dans le court terme, dans l'action au jour le jour, dans la répétition, dans la simple exécution. Il est sûrement utile d'aider les jeunes à regarder loin, à réfléchir sur le temps, à établir des priorités, etc. Il est important de former les jeunes en ce sens: s'il faut vider les paniers à papier ou nettoyer les tableaux, il faut aussi éduquer au moyen et au long terme, apprendre à penser et à planifier, projeter son regard vers les étoiles de temps en temps...

L'engagement aujourd'hui et demain

J'essayerai de répondre à trois questions: 1– Quoi? ou la matière de l'engagement; 2– Comment? ou la méthode de l'engagement; 3– Pour qui et pour quoi s'engager?

La matière de l'engagement

Il y a d'abord les engagements de *la vie quotidienne:* que de responsabilités à rencontrer, que de décisions à prendre, que de réflexions à poursuivre... au jour le jour... au travail, sur la route, au foyer, sur le terrain des loisirs...!

Il y a ensuite les engagements propres à *la vie des institutions dans lesquelles nous évoluons:* l'école, le bureau, la famille, etc. En plus des engagements «officiels», il y a également place pour les engagements «volontaires», bénévoles, si nécessaires dans nos sociétés modernes.

Il y a enfin les grands enjeux et défis de la vie présente et future de *notre monde.* Les jeunes, et nous-mêmes, y trouvons amplement matière à engagement, que ce soit face à la répartition des richesses dans notre monde, à des actions des plus riches en faveur des plus pauvres, face au combat pour la paix et la justice, devant une société vieillissante, face à l'usage abusif de drogues, d'alcool, de médicaments, devant la «vitesse» de notre monde, l'économique, l'écologique et la qualité de la vie, etc.

Dans tous les cas, les engagements pris ou à prendre devraient mettre l'accent prioritairement sur deux «valeurs» particulières. En premier lieu, *la personne:* comment nos engagement nous aident-ils et nous aideront-ils à pratiquer et à favoriser la croissance des gens, le respect des personnes, à développer le service des humains, par exemple le partage, la priorité des personnes sur les choses (et non l'inverse), la communication et l'interrelation personnelle (l'«être-avec-les-gens» l'emporte de beaucoup sur l'avoir, le savoir et le pouvoir)? En deuxième lieu, *le sens de l'existence:* comment nos engagements nous aident-ils et nous aideront-ils à répondre aux grandes questions de la vie? qu'est-ce que je fais sur la terre? qu'est-ce que je veux faire de ma vie? qu'est-ce que je fais de ma vie? ma vie a-t-elle un sens? ma vie est-elle utile aux autres? ai-je des amis? est-ce que je vis pour quelqu'un? y a-t-il des personnes qui comptent pour moi? quel monde veux-je laisser à mes enfants? etc.

La méthode de l'engagement

Que l'engagement soit individuel ou collectif, il ne s'improvise pas. Il est matière d'apprentissage. Et la meilleure façon d'«apprendre l'engagement», c'est de s'engager. C'est pourquoi je propose qu'il y ait des *ateliers d'apprentissage de l'engagement* dans chaque institution d'éducation.

Il ne suffit pas en effet d'enseigner l'engagement, d'en parler, de lire des livres, de donner ou d'écouter des conférences sur le sujet, il faut d'abord le pratiquer. C'est comme pour la natation ou pour la marche: c'est à force de nager et de marcher qu'on finit par nager et marcher convenablement. Ainsi pour l'engagement: s'engager sans cesse, s'engager pour aujourd'hui et pour demain, c'est faire de l'engagement presque une «seconde nature».

Comment faire cet apprentissage? Voici quelques *repères,* puisés principalement dans mon expérience personnelle de personne engagée et d'ancien militant d'Action Catholique. À vrai dire, la méthode préconisée par l'Action Catholique a fait ses preuves et elle a l'avantage d'être simple et facile d'apprentissage pour tous, jeunes et moins jeunes.

Premier repère. FAIRE: devant un chantier, il y a des choses à faire, des actions à poser; on peut le faire tout seul. FAIRE-AVEC: on peut aussi solliciter de l'aide, inviter des gens à s'engager avec soi; c'est non seulement plus coopératif, mais surtout plus éducatif: non seulement on accompagne les gens dans leur engagement, mais on apprend à travailler ensemble. FAIRE-FAIRE: on peut aussi favoriser l'autonomie des gens, leur prise en charge personnelle, leur sens des responsabilités, en leur suggérant des choses à faire, en leur proposant des actions à poser, en les invitant à faire preuve de créativité pour trouver des projets à réaliser.

Deuxième repère. VOIR: c'est l'étape de l'exploration; apprendre à regarder, à écouter, à analyser, à réfléchir; c'est une habileté qui se développe. JUGER: c'est l'étape de l'intériorisation; apprendre non seulement à peser le pour et le contre, mais surtout à découvrir les valeurs ou les «anti-valeurs» qui se cachent sous tel ou tel projet, sous telle ou telle situation; c'est un apprentissage important pour l'orientation de l'action, mais aussi pour le sens qu'on veut donner à sa vie. AGIR: c'est l'étape de l'actualisation; c'est l'engagement proprement dit, réel et ajusté aux situations et aux personnes.

Troisième repère. «PRÉVISER» L'ACTION: cette étape correspond assez bien au «voir» et au «juger» du deuxième repère. AGIR: c'est l'étape de l'engagement. RÉVISER L'ACTION: cette étape est importante en éducation; elle permet non seulement de corriger les erreurs, de réajuster le tir, mais aussi de confronter les contenus de l'action et les personnes engagées.

Ces trois repères ont l'avantage de commander constamment un nouveau regard sur la réalité actuelle et future. Ils conduisent même à une conversion ou à un ajustement de son regard, de sa mentalité, de ses habitudes, de ses attitudes, de ses manières de faire, toutes choses bien utiles pour la croissance des personnes et des sociétés.

Quatrième repère. Le CARNET DE VIE. Je connais plusieurs personnes, y compris des adultes, qui ont toujours dans leur poche un petit carnet dans lequel elles notent des faits de vie, des réflexions, des observations, des critiques constructives, des suggestions d'action, des projets, etc. Il ne s'agit pas d'une sorte de journal dans lequel on écrirait ses états d'âme, ses émotions, ses sentiments. Il s'agit plutôt d'un carnet en vue de l'action, pour l'engagement. Ce n'est pas un cahier ou un livre, c'est un carnet de format réduit, qu'on peut facilement glisser dans sa poche ou dans sa bourse, qu'on peut utiliser toutes les fois que c'est utile ou nécessaire, n'importe où, n'importe quand. Il a l'avantage de tenir l'esprit en alerte, de développer le sens de l'observation et la capacité de réflexion, et de contribuer efficacement à former des hommes et des femmes d'action.

Cette méthode, décrite ici principalement à travers ces quatre repères, en est une de formation à l'action par l'action elle-même, de formation à l'engagement par l'engagement lui-même: n'est-ce pas cela un véritable atelier d'apprentissage? À mon sens, elle vaut tout autant pour les individus que pour les groupes, tout autant pour les adultes que pour les jeunes.

Pour les jeunes toutefois, j'ajouterais deux remarques. D'abord, il semble qu'il soit préférable que les engagements soient nombreux, variés et plutôt de courte durée: les jeunes ont l'enthousiasme prompt et élevé, mais leur endurance est en général plus courte. Ces engagements courts et variés les préparent à des engagements plus longs plus tard et les prémunissent contre le découragement et le «désengagement». Ensuite, il est très souhaitable qu'ils puissent bénéficier d'accompagnateurs bienveillants et discrets: les jeunes n'aiment pas avoir continuellement à leurs côtés des éducateurs du genre «surveillant» ou «paternaliste» ou «moi-je-sais... toi-tu-ne-sais-pas»; mais ils ont besoin de «poteaux» disponibles en tout temps sur lesquels ils puissent s'appuyer chaque fois qu'ils en ont besoin.

Pour qui, pour quoi?

L'engagement comme chemin idéal de formation à l'action par l'action n'est pas un caprice ou une mode passagère. Il n'est rien de moins qu'un instrument simple et merveilleux non seulement pour aiguiser le sens de l'observation, former le jugement pratique, discipliner les énergies et confronter diverses solutions, mais aussi pour maîtriser le changement, pour harnacher les mutations rapides et constantes de nos sociétés.

L'engagement se révèle à l'usage fort utile pour orienter le devenir des gens, jeunes et moins jeunes, et pour donner un sens à l'avenir de la planète.

L'engagement apparaît vite comme un moyen à la portée de tous pour assurer une meilleure qualité de vie: notre vie personnelle, notre vie avec les autres, et notre vie avec notre monde.

Enfin, l'engagement est un instrument d'une grande efficacité pour aider tous et chacun à grandir.

Conclusion

Notre monde, actuel et futur, a besoin de *témoins* qui s'engagent et qui en engagent d'autres. Il a peut-être même plus besoin d'*engagements* concrets que de science, de technologie, etc., même s'il faut de la science, de la technologie, etc.

Les défis auxquels nous sommes confrontés quotidiennement demandent de plus en plus des engagements réels, authentiques et importants. Et cela de diverses «instances», notamment des instances scolaires, parce que ce sont les jeunes d'aujourd'hui qui seront les artisans et les responsables de demain. Et parmi les instances scolaires, les engagements réclamés ne viendront pas seulement des enseignants, mais aussi et surtout des preneurs de décisions, de responsables d'orientations, comme les gestionnaires et les administrateurs scolaires (les directions d'écoles, les conseils scolaires, les comités de parents, les divers dirigeants des commissions scolaires, etc.).

Le plus beau cadeau qu'un éducateur (parent, enseignant, gestionnaire) puisse faire à un jeune, ce n'est pas de lui donner une voiture, ce n'est même pas de lui assurer une «instruction» de qualité, quoique celle-ci soit capitale. C'est de le rendre capable de gérer sa vie de façon utile et gratifiante pour lui et pour les autres. C'est de le rendre capable de s'engager dans la société comme une personne responsable et mature. C'est de le rendre capable de trouver un sens aux choses, aux gens, au monde, et de donner une direction au bateau de sa vie et une signification à son existence au cœur du monde. Bref, c'est de le rendre capable non seulement de réussir dans la vie mais surtout de *réussir sa vie.*

3 Faire du bénévolat

«Pour le plaisir
de faire plaisir...!»

«Il y a plus de joie
à donner
qu'à recevoir!»

Actes 20, 35

Alain

Pour l'instant, Alain n'a pas de travail.
Il vit à l'aide du chèque mensuel du bien-être social.
Mais Alain a de bons bras et du cœur.
Il est jeune: dix-huit ans.

À n'avoir rien à faire,
il s'ennuyait royalement.
Il allait souvent flâner dans le parc du centre-ville:
il y trouvait des copains,
il fumait avec eux,
regardait passer les filles,
et jouait à la balle.
Un jour, il s'aperçut que le parc n'était pas très propre.
Il y avait bien des poubelles,
mais il y avait autant de papiers, de canettes, autour que dedans.
Mine de rien,
Alain prit l'habitude d'aller au parc
tout de suite après son petit déjeuner.
Il décida de nettoyer le parc tous les jours.
Une bonne heure durant,
il ramassait tout ce qui traînait par terre.
Avec le temps,
il se mit à faire le tour des six parcs de la ville.

Personne ne lui avait demandé de faire ce nettoyage.
Il le fit d'abord pour s'occuper.
Puis, petit à petit, il prit goût à la propreté des lieux publics.
Un jour, le responsable de la voirie de la municipalité le remarqua.
Il l'engagea à son service.
Depuis ce jour,
Alain a du travail.
Il est bien content de contribuer
à rendre la ville plus habitable
et, du même coup,
de gagner sa vie en travaillant.

Maurice

Maurice est à la retraite depuis six mois.
Il court moins vite qu'à vingt ans
mais il est encore «vaillant»,
comme il se plaît à dire.
Il vient d'accepter de travailler bénévolement
comme «cameraman»
à la télévision communautaire de sa ville.
Chaque semaine,
il donne gratuitement une demi-journée de son temps.
Cela le fait vivre le reste de la semaine.
Avec le temps,
il a développé une véritable compétence.
Et ce qui est merveilleux,
c'est qu'il se sent utile
et que «ça l'occupe».

Lise

Lise a du temps à revendre tous les après-midi de semaine.
Ses deux jeunes enfants sont à l'école
et son mari est au bureau.
Lise est du type efficace:
sa maison brille comme un sou neuf,
elle ne laisse rien traîner,
et fait tout à mesure: lavage, repassage, ménage...

Tous les après-midi, Lise fait du bénévolat.
Deux fois par semaine,
elle visite des malades chroniques à l'hôpital:
elle leur fait la conversation,
écrit leurs lettres,
répond au téléphone...
Deux autres après-midi,
elle se rend à la bibliothèque municipale:
elle classe des livres,
elle en répare d'autres...
L'autre après-midi, c'est son congé:
elle fait de grandes marches dans la montagne
ou bien va visiter des amies
ou bien va au cinéma.

Le temps passe vite:
Lise ne s'ennuie pas.
Et sa vie s'écoule de façon utile.

Marguerite

Marguerite est une belle octogénaire qui vieillit bien.
Elle a les jambes faibles
mais ses yeux sont encore bons
et surtout son cœur est en bonne forme.
Tous les après-midi que le bon Dieu amène,
elle va chez Louise qui est aveugle:
elle lui fait la lecture de ses lettres
et de ses livres de prières.
Puis elles se font la conversation
pendant une bonne heure.
Marguerite et Louise sont heureuses.
Les deux sont en train de revivre.

Ce n'est pas pour rien qu'à chaque année il y a une Semaine du Bénévolat. C'est d'abord pour nous rappeler les millions d'heures-travail données par les bénévoles des quatre coins du pays. C'est aussi pour remercier ces bénévoles qui, par leur dévouement et leurs nombreux services, contribuent à améliorer la qualité de vie de beaucoup, des gens mais aussi de nos sociétés. C'est enfin pour lancer un appel aux personnes qui pourraient, si elles le voulaient, donner de leur temps et de leurs talents à une œuvre de bénévolat.

S'il est en effet sûrement bon de souligner l'apport considérable des personnes bénévoles à la société, il est également bon de montrer le profit qu'en retirent les personnes bénévoles elles-mêmes.

Qu'est-ce que le bénévolat?

Je me suis arrêté pour ma part à la signification de ce mot en le décomposant et j'en ai trouvé deux sens qui, me semble-t-il, le décrivent bien.

Le mot «bénévolat» vient de deux mots latins: «bene» qui signifie «bien» et «volo» qui veut dire «je veux». En les regardant de plus près, on s'aperçoit que les bénévoles sont en effet des personnes qui *veulent bien* rendre service, donner de leur temps, de leurs talents, de

---

Causerie donnée à des bénévoles de St-Hyacinthe (Qc)

leurs énergies, pour les autres. Ce premier sens nous dit que les bénévoles sont des personnes de bonne volonté.

Mais il y a un autre sens également. Les bénévoles sont non seulement des personnes qui «veulent bien» servir, ce sont aussi des personnes qui *veulent du bien* aux autres, à la société en général. Quel beau titre que le titre de bénévole! «Vouloir bien» et «vouloir du bien»!

Que se passe-t-il quand on fait du bénévolat?

Il se passe bien des choses qu'il vaut la peine de regarder de plus près.

D'abord, quand on fait du bénévolat, *on se sent utile aux autres*. N'est-ce pas là un besoin fondamental de toute personne humaine? Les gens qui se sentent utiles à leurs semblables ne risquent pas de sombrer dans l'ennui, la mélancolie, ou même la dépression. Ils trouvent le temps moins long et augmentent ainsi la qualité de leur existence.

De plus, en aidant les autres, vous vous aidez vous-mêmes. En effet, en étant utiles aux autres, votre vie prend du sens. Vous posez des gestes humanitaires, des gestes d'amour envers les autres, des gestes qui vous aident à mieux vivre. Rien n'est en effet plus nuisible à la personne que de ne rien faire à longueur de journée, de semaine, de mois et d'année. On finit par ne penser qu'à soi; on finit par se centrer sur ses petites et grandes misères, par se replier sur soi. On risque alors de verser dans l'égocentrisme ou même parfois dans l'égoïsme. Et ce qui est pire, on en arrive parfois à encombrer tout le monde avec son moi et même à faire porter par les autres ses petits et ses grands bobos. On finit par se déprécier et par ne plus aimer la vie. N'est-ce pas Félix Leclerc qui allait jusqu'à dire: «La meilleure façon de tuer un homme, c'est de le payer à ne rien faire»?

Par le bénévolat, vous vous oubliez pour penser aux autres. Vous sortez de vous-mêmes. Vous refaites l'équilibre en vous. En donnant du bonheur aux autres, vous vous en donnez à vous-mêmes.

Ensuite, quand on fait du bénévolat, on affirme *l'importance et le prix du geste gratuit,* c'est-à-dire du geste qui ne paie pas en termes d'argent.

Dans une société où tout ou presque tout s'achète et se paie, vous affirmez l'importance non seulement de la gratuité, mais aussi du don pour les autres. Bien souvent même, le geste que vous posez ne paie pas en argent, mais il vous coûte de l'argent; et pourtant vous le faites quand même... et avec la joie au cœur en plus.

Notre monde a un besoin vital de votre témoignage de bénévoles. Il a besoin de gens qui travaillent pour rien, pour le simple contentement personnel, pour les autres, «juste pour le plaisir de faire plaisir», et qui sont heureux de le faire. À votre manière, vous êtes un peu comme les petites annonces du *Journal de Montréal:* vous ne coûtez pas cher et vous rapportez bien!

Tant qu'il y aura de la gratuité dans nos sociétés, nous pourrons garder l'espoir. Le bénévolat est incontestablement un signe de bonne santé de nos sociétés.

Et puis, quand on fait du bénévolat, on affirme *l'importance du geste fait avec le sourire.* On souligne à sa manière une qualité non seulement utile mais nécessaire dans les relations humaines: la joie.

Vous êtes tout le contraire des «gueules-de-bois» qui grognent, qui «grichent» ou qui grincent. Vous n'avez rien de la bouche en accent circonflexe, des lèvres serrées, qui ne savent plus sourire... Vous n'avez rien des visages qui n'ont plus de lèvres tellement elles sont repliées en un rictus destructeur de leur personnalité et de celles des autres.

Notre monde a besoin de gens qui rient, qui sourient, qui donnent et se donnent dans la joie. C'est là un autre signe de bonne santé de nos sociétés. Nous le savons d'expérience, quand une communauté, familiale ou autre, n'est plus capable de joie, de sourire et de rire, elle est en danger d'être gravement malade. La joie, intérieure et extérieure, est un ressourcement important pour nos communautés.

Enfin, quand on fait du bénévolat, on affirme que *le bonheur réside avant tout dans les choses simples de la vie.*

Il y a bien des services qui en apparence sont simples et effacés, comme de visiter une personne malade ou un aîné, de servir le café et le jus à l'hôpital, de nettoyer les locaux du Centre des Loisirs, d'aider à une tombola, etc. Ces services, et bien d'autres, ne font pas la manchette des journaux. Mais quand ils sont faits avec le sourire, ils rendent les gens heureux.

Le bonheur, en effet, ne consiste pas d'abord dans la possession de nombreux biens, mais plutôt dans la qualité et la quantité de bonnes relations humaines. Quand on rend service, les relations humaines sont au meilleur: elles permettent en effet non seulement de se rendre utile aux autres, mais aussi d'en être apprécié bien souvent. Les services rendus développent la plupart du temps l'amitié entre les gens: et quoi de meilleur que d'aimer et d'être aimé!

Dans une société où trop souvent on rencontre des gens tristes et même malheureux, vous rééditez la Parole du Christ citée par saint Paul: «Il y a plus de bonheur à donner qu'à recevoir» *(Actes 20, 35).* Et vous posez à nos contemporains la question: «Sommes-nous ordinairement joyeux ou bougonneurs?»

Le bénévolat est réponse à la Parole de Dieu

En faisant du bénévolat, vous répondez à l'appel du Seigneur qui a demandé, comme nous le savons tous, d'aimer son prochain et plus particulièrement son prochain dans le besoin.

De plus, vous êtes grands aux yeux du Seigneur. En effet, le Seigneur, dans sa bonté, a voulu mettre la grandeur à la portée de tous. Pour lui, la grandeur ne réside pas dans les honneurs, les titres ou les décorations; elle ne consiste pas dans le fait d'avoir son nom dans les journaux ou sa photo à la télévision. Elle est dans le service rendu. «Si l'un de vous veut être grand, il doit être votre serviteur... Le Fils de l'homme lui-même n'est pas venu pour se faire servir mais pour servir...» *(Matthieu 20, 20-28).*

Que voilà un enseignement important pour tous et particulièrement pour les bénévoles!

Conclusion

Faire du bénévolat,
ce n'est pas simplement
obéir à la générosité de son cœur,
ou répondre à l'invitation des responsables
ou même suivre la mode du temps.
Faire du bénévolat,
ce n'est rien de moins
qu'être fidèle à l'Évangile
et être disponible à ses frères et sœurs de la terre.
Faire du bénévolat,
ce n'est pas uniquement
rendre service aux autres,
c'est aussi se rendre service à soi.
Car on ne grandit jamais mieux
qu'en aidant les autres à grandir.

4 Aménager des environnements «éducatifs»

«Les humains
sont comme les plantes:
ils ont besoin
d'un bon environnement
pour grandir.»

Paul Tremblay

Comme un poisson
dans son eau...

Louis-Pierre

Louis-Pierre a la chance d'enseigner
à des petits «bouts de chou» pleins de vie
à l'école élémentaire du village.
C'est le cas de le dire,
son école est à «aire ouverte».
Il va dans les bois avec les enfants
apprendre les arbres, les fougères, les écureuils,
écouter le chant du ruisseau et le bruissement des feuilles.
Ensemble ils vont glisser sur la neige,
patiner sur la rivière,
faire l'apprentissage du grand air
et de la vie avec les autres.
Ensemble aussi ils prient
en se regroupant au «coin de prière»
qu'ils ont aménagé au fond de la salle de classe.
Il pose des questions aux enfants,
mais les enfants lui en posent aussi.
Ils sont en confiance réciproque.

Et tout le monde grandit fort bien.

Francine

Francine a ses idées
en ce qui concerne l'éducation de ses enfants.
Et elle entend bien les leur communiquer.
Et elle joint le geste à la parole.

Ainsi,
elle ne veut pas
que ses enfants fréquentent de «mauvaises compagnies»,
comme elle dit.
D'accord pour éviter les «mauvaises fréquentations».
Mais est-ce une raison pour garder
tout le temps les enfants à la maison,
en serre chaude,
à l'abri des courants d'air?

Ses enfants grandissent
dans un environnement hermétique
sous son regard sévère de «mère-poule».
Ils vivent dans un milieu fermé.
Ils ne sont pas très heureux,
surtout quand ils voient les voisins
vivre au grand air.
Ils rêvent au jour
où ils pourront sortir
d'en dessous de la jupe de leur mère.

Mario

Mario est né dans une famille
où la religion occupe beaucoup de place.
Il dit lui-même qu'il s'est nourri de la foi
en même temps que du lait de sa mère.
La prière avant et après les repas,
la prière du soir en famille,
la messe dominicale,
tout cela a constitué sa vie régulière.
Et puis, les réflexes d'Évangile étaient monnaie courante:
Jésus est en nous comme dans un temple,
Jésus s'identifie au pauvre,
Jésus ne nous abandonne jamais,
Jésus s'intéresse à tout ce qui nous arrive.

Mario n'est pas pour autant un puritain ou un malheureux.
Au contraire, il est le meilleur compteur
de son équipe de hockey,
il figure au palmarès des meilleurs de son école,
et récemment une jolie fille est tombée en amour avec lui.

En plus, il a été élevé dans un milieu familial
où l'affection de tous s'est «déteinte» sur tous.
L'attention aux autres, le respect réciproque,
les cadeaux aux anniversaires,
les bonjours et les bonsoirs quotidiens,
l'ont façonné de jour en jour.

Mario grandit bien dans ce milieu
où l'amour et la foi circulent si bien.
Pas étonnant que tout le monde l'aime!

Georges

Georges est du type autoritaire:
tout dans son comportement et sa démarche
traduit sa tendance à donner des ordres,
à se faire obéir;
il est «celui qui sait»
devant «celui qui ne sait pas et qui doit apprendre».
Il a le pied ferme, le «talon-marteau» sur le pavé,
le cou renfrogné dans son «collet-monté»,
le regard inquisiteur
et le verbe fort.

Georges travaille dans un centre d'hébergement
pour jeunes mineurs.
Inutile de dire qu'il n'est pas «fort sur le dialogue»:
il parle, les autres écoutent.
Il n'est pas aimé, il est craint.
Pourtant, tout le monde sait,
sauf lui apparemment,
qu'il n'y a rien comme l'amour
pour aider quelqu'un à grandir!

L'ordre règne dans la maison,
la discipline est impeccable,
tout reluit comme un sou neuf.
Mais les cœurs des jeunes sont en friche.
Tout le monde vit «sur ses gardes».
Dès qu'il a le dos tourné,
ils le critiquent,
ils souhaitent son départ de la «boîte».

Pas étonnant que Georges se plaigne
de maux d'estomac, d'insomnies et de migraines,
et qu'il dise à qui veut l'entendre
qu'il a hâte de prendre sa retraite!
Personne ne grandit dans cette maison.

Yvon

Yvon a toujours eu tout ce qu'il a voulu
de ses parents.
Et même plus.
Ses parents allaient au-devant de ses désirs
pour lui faire des cadeaux.

Pourtant Yvon a sombré
dans l'alcool et dans la drogue.
Qu'est-ce qui a bien pu se passer
dans son cœur
pour qu'il en soit arrivé là,
lui qui était si choyé?
Un jour qu'il était particulièrement déprimé,
il a compris que l'amour avait manqué dans sa vie,
que même s'il vivait dans une famille
comblée au plan monétaire
il n'était pas heureux
dans cette maison sans âme.
Ses parents le bourraient de matériel:
stéréo, télé, skis, auto, etc.
Mais ils ne prenaient jamais le temps
de s'asseoir avec lui
pour l'écouter, lui parler, lui dire leur amour.
Ils étaient trop occupés
à travailler, à faire de l'argent, etc.
Alors, Yvon s'est replié sur lui-même,
a délaissé ses parents
et a fui sa triste réalité
dans des «paradis artificiels».
Le climat familial était devenu invivable pour lui,
il le faisait mourir.
Il s'est fait une petite amie
qui «fume» comme lui.
Ça ne l'a guère aidé à se libérer de ses chaînes,
mais au moins il a trouvé
quelqu'un qui l'aimait et qu'il aimait.

Yvon est actuellement en «désintox».
Il commence à se comprendre et à s'aimer.
Ses parents viennent le voir:
au parloir, ils ne sont pas accaparés
par toutes sortes d'autres occupations.

Pour la première fois,
ils parlent avec leur «grand gars»,
et pour la première fois
Yvon a le sentiment
d'être écouté et aimé pour lui-même.

Yvon et ses parents
commencent à grandir.
Ils sont tellement plus heureux!

Sophie et Simon

Sophie porte bien son nom:
c'est une femme remplie de sagesse.

Elle a ouvert, avec son époux Simon,
un «Carrefour des jeunes».
C'est une idée qui lui est venue
«comme une petite fleur au printemps»,
comme elle dit si bien dans son langage savoureux.
Sophie et Simon ne peuvent avoir d'enfants.
Ils ont donc décidé de s'occuper de ceux des autres.

Donc, ils ont aménagé un grand local
que leur ingéniosité et leur ténacité leur ont permis de trouver.
Une grande salle, abondamment décorée,
sert pour les réunions de masse:
les vendredis et les samedis soir,
«ça grouille de jeunes».
Ils viennent chanter, danser,
mais aussi réfléchir, échanger et prier.
Tout près de la salle de réunions,
une petite chambre a été transformée en oratoire:
les jeunes y viennent se recueillir en silence
pour dialoguer avec le Seigneur.
À l'autre bout de la salle,
il y a une petite cuisine:
les jeunes y prennent des collations légères et frugales.
Tout au fond,
on trouve un petit bureau:
il sert aux entrevues individuelles.

Les jeunes sont nombreux tous les week-ends
à franchir la porte du «Carrefour».
Ils en ont fait un lieu de rendez-vous très fréquenté.

C'est qu'ils trouvent en Sophie et Simon
plus que des accompagnateurs d'adolescents,
ils trouvent des amis sympathiques et compréhensifs.
Ils n'hésitent d'ailleurs pas à leur dire
dans toute leur spontanéité de jeunes:
«On sent que vous nous aimez...»
Mais, surtout, ils trouvent que leur local
«a de l'atmosphère».
Ça tient à mille choses:
les décorations, les posters, les icônes,
les meubles, les tapis, les coussins...
l'éclairage, la musique...
Il y flotte un «je ne sais quoi» de spécial
qui fait du bien à tout le monde.

Sophie et Simon ont une famille considérable...
Et les jeunes ont des amis merveilleux
et un endroit «super» pour se rencontrer.

D'une semaine à l'autre,
tout le monde grandit en beauté,
ça se voit à l'œil nu.

Les plantes, et l'environnement où elles poussent, sont de grands maîtres. Ils peuvent singulièrement alimenter notre réflexion et notre action, en ce qui concerne nos responsabilités d'éducateurs.

Observons les plantes

Trois facteurs de croissance entrent ordinairement en interaction dynamique dans la culture des plantes:

- un *environnement* approprié (sol, climat, lumière, etc.),
- des *jardiniers* compétents,
- des *outils* adaptés (pioche, pelle, râteau, guides de culture, etc.).

Notons tout de suite cependant que **seul** l'environnement est absolument indispensable. À la limite, un arbre peut pousser tout seul, sans l'aide d'un jardinier et sans outils. Mais il ne peut **jamais** grandir dans un environnement qui ne lui serait pas approprié. C'est ainsi qu'ici les palmiers et les poinsettias ne peuvent pousser dehors: il fait trop froid; le climat ne leur convient pas du tout.

Conférence donnée aux parents du Collège St-Maurice de St-Hyacinthe (Qc)

Et regardons nos enfants...

Et s'il en était de même pour nos enfants! Voyons cela de plus près.

Nous fournissons à nos enfants (ou à nos élèves) des **instruments pédagogiques** les meilleurs, les plus adaptés possible. C'est même à ce niveau, très souvent, que les efforts de renouvellement des *outils* (manuels, guides, matériel audiovisuel, etc.) sont les plus grands. Les responsables de l'éducation des jeunes, en effet, se soucient, non sans raison d'ailleurs, de la qualité de ces instruments. C'est très bien ainsi, mais est-ce bien sur cela que les efforts éducatifs doivent d'abord porter?

Nous avons également à cœur de donner à nos enfants (ou à nos élèves) les meilleurs *jardiniers* possibles, c'est-à-dire des **éducateurs** compétents, qualifiés, attentifs, etc. Les institutions d'éducation ne négligent rien pour assurer le perfectionnement des maîtres, le recyclage des enseignants, l'éducation permanente, comme on dit, de tous les agents d'éducation. De même, les parents font tout ce qu'ils peuvent pour aider leurs enfants à grandir le mieux possible en équilibre et en beauté. Personne ne niera que tous ces efforts sont à poursuivre avec toute l'énergie que requiert l'amour des jeunes. Mais, encore là, la seule **relation interpersonnelle** (éducateur-éduqué) saurait-elle suffire?

En fait, c'est à la **relation «écologique»** que nous sommes renvoyés. Comme les plantes, les humains ont besoin de bons *environnements* pour grandir en force et en sagesse. Nous savons tous l'importance que les écologistes attachent à la qualité de l'environnement pour assurer la qualité de la vie. De même, en éducation, ne devons-nous pas nous aussi assurer à toutes les personnes impliquées dans le processus éducatif, tant éducateurs qu'éduqués, des *milieux* susceptibles de favoriser la croissance intégrale de tous et de chacun?

Il est évident qu'en bonne éducation les trois facteurs qui viennent d'être soulignés ont *tous les trois* leur importance. Toutefois, on ne saurait trop le répéter, c'est le troisième, à savoir la *relation écologique,* qui mérite de retenir avant tout notre attention. D'autant plus que spontanément nous sommes davantage portés, semble-t-il, à investir nos énergies et nos talents dans les deux premiers.

L'environnement en éducation

On pourrait illustrer avantageusement cette relation dite «écologique» en prenant, bien sûr, l'exemple des *plantes*, comme nous l'avons fait précédemment, mais aussi en nous inspirant des *poissons*.

Il n'est pas exagéré de dire que les personnes impliquées dans une action éducative, éducateurs et éduqués, grandissent d'autant mieux qu'elles baignent dans un environnement perçu comme favorable à leur croissance. Le poisson étouffe s'il est dans une eau polluée; il peut même en mourir. Par contre, s'il vit dans une eau la moins polluée possible et nettoyée de temps en temps, s'il le faut, il est heureux «comme un poisson dans l'eau», c'est le cas de le dire.

Que ce soit à l'école, à la maison, à la paroisse, au Centre de loisirs ou ailleurs, que ce soit au niveau de la croissance humaine ou de la croissance chrétienne, que ce soit au plan individuel ou au plan collectif, les environnements de qualité font que ceux qui y sont plongés grandissent bien, comme par osmose, mieux par symbiose.

Les valeurs, humaines ou chrétiennes, qui circulent alors dans ces milieux, par le simple jeu des relations et des interactions entre les diverses personnes, ont plus de chances de pénétrer dans le cœur, l'agir et l'être de chacun, que si elles sont simplement enseignées.

N'est-ce pas cela, l'éducation? S'il y a de nécessaires *connaissances* à transmettre, l'éducateur ne peut être qu'un simple transmetteur de connaissances. S'il y a de nécessaires *habiletés* à acquérir, l'éducateur ne peut être qu'un simple initiateur d'habiletés. Autrement dit, s'il y a des *savoirs* (connaissances) et des *savoir-faire* (habiletés) indispensables, il y a surtout des *savoir-être* (rejoindre son identité personnelle profonde) et des *savoir-être-plus* (grandir sans cesse) et des *savoir-être-avec* (cultiver sa relation avec les autres et avec ses milieux de vie) encore plus indispensables.

C'est ici que se situe principalement ce qu'on est convenu d'appeler le témoignage. Celui-ci peut être *individuel* (relation interpersonnelle): on en connaît toute l'importance. En effet, on ne dira jamais assez l'influence positive que peuvent exercer sur un jeune un parent, un professeur, un pasteur ou un autre jeune, de qualité. Mais le témoignage peut être aussi *collectif* (relation écologique): c'est alors tout le milieu qui exerce une influence positive sur les individus à cause des valeurs qui y sont véhiculées.

Voyons quelques applications de cette relation écologique pour la famille, l'école et l'Église.

La famille

La famille contemporaine n'est plus uniforme. Elle comporte *divers types:* monoparentales, pluriparentales, reconstituées, etc.

Ce qui importe pour nous, c'est de nous demander **comment la famille,** toute famille, **peut constituer un véritable milieu éducatif,** tant du point de vue humain que chrétien. Car c'est à cette condition, nous le savons, que tous les membres de la famille, enfants mais aussi parents, pourront grandir.

Sur le plan humain, il ne fait pas de doute que **l'amour** est le principal facteur de croissance. Quand l'amour, en effet, circule librement et abondamment dans la famille, tout le monde en profite. Quand l'amour fleurit bellement dans le jardin du foyer familial, chacun y trouve son compte au niveau de la croissance. Pas besoin de lire des livres sur l'amour ou de suivre des cours. On baigne dans une atmosphère d'amour et chacun apprend à aimer et à être aimé tout naturellement, au jour le jour, au fil des relations coutumières. L'amour lui entre et lui sort par tous les pores de la peau et du cœur.

Comme cette exigence est importante! Si l'amour existe, en santé et en abondance, quel que soit le type de famille, les chances de «réussite» de la vie de chacun sont énormes. C'est comme un soleil qui la revitaliserait constamment.

Nous en connaissons tous de ces familles où la qualité de l'amour donné et reçu épanouit chacun des membres. Mais nous en connaissons tous, hélas, où l'amour a du mal à vivre: les membres de ces familles manquent terriblement de cette vitamine essentielle. Ils s'atrophient, ils développent des handicaps, ils laissent en friche de grandes parties d'eux-mêmes. Et c'est bien dommage!

Il est indéniable que l'éducation familiale a à se préoccuper au plus haut point de la vitalité de l'amour qui circule dans la famille. Elle doit tout mettre en œuvre en ce domaine pour faire non seulement de la «médecine curative» (réparer les «blessures» de l'amour) mais surtout de la «médecine préventive» (favoriser l'épanouissement de l'amour).

Sur le plan chrétien, un environnement familial de qualité n'est pas moins capital. **La foi,** en effet, ne s'apprend pas d'abord dans les livres et dans les cours, même si ceux-ci demeurent importants. La foi s'apprend surtout par le témoignage, individuel et collectif.

Si chaque membre de la famille est «édifié», c'est-à-dire «construit», par la vie de foi de chacun, quel merveilleux catéchisme vivant! Et si la vie de famille baigne dans un climat de foi, quelle extraordinaire école de foi!

Y a-t-il dans nos foyers de beaux «posters» religieux, un grand Christ ressuscité, une ou deux icônes, un «coin de prière» où se trouvent en belle place un livre de la Parole de Dieu, des fleurs et une lampe allumée? Y a-t-il également des moments de prière, même courts, aux repas, au pied du lit des tout-petits, avant de se quitter pour aller dormir? Y a-t-il surtout des réflexes de foi qui habituent les membres de la famille, particulièrement les enfants, à reconnaître Jésus dans leur cœur, mais aussi dans le pauvre qui frappe à la porte pour être écouté, accueilli, compris? Y a-t-il des gestes de foi, comme un signe de croix sur le front d'un enfant ou sur le pain qu'on va manger, comme la bénédiction du Nouvel An...? Y a-t-il des attitudes de foi et d'espérance à l'occasion des grands moments de la vie d'un chrétien comme un baptême, une première communion, une première confession, une confirmation, un mariage, comme à l'occasion d'une épreuve, d'un échec, d'une souffrance?

Nous connaissons tous de ces familles merveilleuses où la vie de foi est florissante et où les membres s'épanouissent au soleil de la foi, de l'espérance et de la charité. Mais, hélas, nous en connaissons aussi où rien ou presque de la foi reçue au baptême ne transparaît dans la quotidienneté de la vie. Comment cette vie de foi peut-elle grandir si elle ne bénéficie pas de signes de foi, de témoins de foi, d'environnement de foi? La foi, malheureusement, se perd, s'anémie et peut même finir par mourir.

La vie de foi a besoin de la vie quotidienne de la famille pour se développer. On aurait beau avoir les plus belles célébrations à l'église et les plus belles catéchèses à l'école, s'il n'y a rien qui éveille, développe et entretient la vie de foi à la maison, c'est foutu ou rendu tellement plus difficile!

C'est pourquoi une éducation chrétienne réaliste doit être extrêmement attentive à la bonne santé de la vie de foi des familles. Il en va de la vie de foi de l'Église elle-même et de chacun de ses membres.

Faire de chaque famille une «petite démocratie d'amour» et une «Église domestique», quel merveilleux projet éducatif et quel magnifique défi!

L'école

Tout ce qui vient d'être dit de la famille pourrait être dit de l'école, en apportant, bien sûr, les modifications qui s'imposent.

Si le *témoignage individuel* demeure et demeurera toujours important, voire indispensable, il semble bien que l'école ne peut, dans son projet éducatif, ignorer le *témoignage collectif*. En effet, si nous nous souvenons tous de telle éducatrice ou de tel éducateur qui nous ont marqués profondément durant nos études par la qualité de leur présence et par les valeurs que véhiculait leur vie, il n'en reste pas moins que les milieux, surtout les mini milieux, les petits regroupements, les petites communautés scolaires, où circulent librement et abondamment l'amour et la foi, sont à développer.

Nous le savons tous, l'enseignement même le meilleur ne saurait suffire pour faire atteindre aux hommes et aux femmes leur pleine stature humaine et chrétienne. Quant au témoignage individuel, nous savons que nos institutions d'enseignement ont dans leur personnel des professionnels de très haute compétence, des personnes humaines de grande valeur et des chrétiens authentiques. Et c'est tant mieux. Car, alors, la *relation interpersonnelle* (éducateur-éduqué) est à son meilleur. Il faut donc continuer à tout mettre en œuvre pour que le témoignage individuel puisse s'exercer le plus souvent et le mieux possible.

Ceci dit, ne faut-il pas également tout faire pour favoriser les mini-regroupements, les environnements, permanents ou transitoires, où **l'amour** et toutes ses harmoniques (bonté, disponibilité, pardon, accueil, écoute, patience, tolérance, tendresse, etc.) de même **que la**

foi avec toutes ses composantes (signes visibles dans l'école, prière, réflexes de foi, témoignage, etc.) pourront s'exercer et se développer librement?

L'Église

L'*enseignement* est nécessaire dans l'Église, c'est sûr. C'est là l'une des grandes fonctions de l'Église et c'est pour cela qu'il y a des homélies aux messes, des cours de religion à l'école, que des parents s'impliquent de plus en plus dans la préparation de leurs enfants aux sacrements de l'initiation chrétienne et dans l'accompagnement à la maison également. Mais, ici comme en éducation humaine, la seule instruction ne saurait suffire. À ce compte, en effet, tous les élèves qui sortent de nos écoles et de nos Facultés de théologie seraient de grands croyants...

Il faut aussi des *héros, des saints, des témoins,* c'est sûr. L'histoire de l'Église montre à l'envi comment de telles personnalités ont influencé le cours de l'histoire, fait prendre des tournants décisifs à l'Église et marqué de leur témoignage nombre de personnes. Qu'on pense à François d'Assise, à Dominique, à Catherine de Sienne, à Marguerite d'Youville, à Jean XXIII, à Mère Teresa, à Jean Vanier, etc. Il y a ces grands piliers de l'Église, connus et souvent canonisés. Mais il y a aussi les moins connus qui, par leur témoignage humble et quotidien, ne cessent de donner l'exemple à leurs contemporains. De ces géants, l'Église en aura toujours besoin et elle n'en aura jamais assez.

Mais, après avoir constaté tout cela, il nous faut encore affirmer avec force l'importance pour la vitalité de l'Église de véritables environnements éducatifs de foi. On les appelle souvent *les communautés chrétiennes vivantes* ou encore *les communautés ecclésiales de base* ou, comme on dit récemment, *les groupes restreints.* Peu importe leur nom, ce qui compte, c'est leur réalité. Elles constituent, en fait, **surtout si elles sont à dimension humaine,** des milieux idéaux pour la croissance de la vie chrétienne de leurs membres. C'est là, en effet, que les gens ont la possibilité de se dire leur foi, de célébrer leur espérance et de les traduire en engagements de toutes sortes. C'est là qu'ils pratiquent les plus beaux partages de la Parole, de la prière et du service humble des autres, surtout des plus petits. C'est là qu'ils «s'entre-évangélisent» le mieux. Et c'est merveilleux. Ces petites communautés chrétiennes vivantes constituent, à n'en pas douter, le fer de lance du renouveau chrétien de nos paroisses, de nos communautés religieuses, de nos écoles, et même de nos familles. Elles méritent, à plus d'un point de vue, d'être prises au sérieux.

Conclusion

Au début de cette causerie, j'ai fait mention de trois facteurs de croissance qui interviennent dans la culture des plantes et qui, analogiquement, peuvent s'appliquer à la «croissance» des humains et des chrétiens. J'ai parlé *d'un environnement approprié, de jardiniers compétents et d'outils adaptés.*

Au terme de cette réflexion, je voudrais dire ma conviction que l'idéal en éducation serait que les trois facteurs puissent intervenir toujours et en même temps. Mais je souhaite également dire avec autant de persuasion que, dans l'état actuel des choses, les outils et les jardiniers, c'est-à-dire les instruments pédagogiques et les éducateurs, étant bien en place, c'est sûrement sur la création et la mise en place de milieux (environnements) appropriés qu'il faudrait davantage tourner son regard et appliquer ses forces, même si déjà beaucoup se fait en ce domaine. Si cette conviction doit s'appliquer à l'école, il ne fait aucun doute qu'elle trouve également toute sa place dans la famille et dans l'Église.

5 Capsules de croissance

«Je sème
à tout vent...»

«Le semeur sortit
pour semer...»

Matthieu 13, 4

Nous devrions passer notre vie
à donner du bonheur
comme un pommier passe sa vie
à donner des pommes.

On récolte ce que l'on sème.
Si tu sèmes la colère,
tu récolteras la tempête.
Si tu sèmes la douceur,
tu récolteras la paix.

On ne grandit pas
dans l'estime d'autrui
en «descendant» les autres.

Les gens ont bien plus besoin
d'encouragements
que de critiques.

La transparence
a bien meilleur goût
que l'apparence.

On ne peut empêcher
une rivière de couler.
On peut dresser des obstacles
sur son parcours.
Elle finira par les contourner
et continuera tranquillement sa route.

Bien loin de s'atténuer avec l'âge,
le désir et le besoin de grandir s'amplifient.

Si tu ne regardes
que les mauvais côtés des gens,
tu les empêcheras de grandir
et tu retarderas sûrement ta propre croissance.

Il y a en chaque être humain
un démon qui dort
et un ange qui sommeille.
Ce sont les circonstances de la vie,
notamment les rencontres que l'on fait,
qui réveillent l'un ou l'autre.

Ne nous prenons pas pour d'autres.
Nous avons bien assez
de nous prendre pour nous-mêmes.

Ne sois pas complaisant
mais aie la passion de la vérité.
Ne sois pas peureux
mais sois prudent.

Aie le courage de tes idées.
Mais aie aussi la sagesse de tes actes.

La jalousie
que tu cultives dans le jardin de ton cœur
est comme du chiendent.
Elle envahit toute ta terre
et finit par étouffer tous tes plants.
Dépêche-toi de l'enlever.
Mais n'oublie pas
que ses racines sont longues et tenaces.

Nous avons plus besoin d'amitié
que d'admiration.

C'est au contact de la souffrance des autres
que tu peux vérifier
la sensibilité ou l'insensibilité de ton cœur.
On ne devrait jamais s'habituer à la misère.

Plante un arbre,
construis une plate-bande de fleurs,
fais un potager de légumes.
Et regarde ces grands maîtres
t'enseigner l'essentiel.

Plus tu entretiens de pensées négatives en toi,
plus tu te détruis,
plus tu t'empêches de grandir.

L'égoïsme,
quand il n'est pas dompté,
tourne à l'égocentrisme.
Et l'égocentrisme,
quand il est cultivé,
vire à l'«égolâtrie»,
qui est une maladie grave de la croissance.

La loi n'est pas là
pour brimer ma liberté
mais pour favoriser ma croissance
et assurer le bien de la collectivité.

Notre société
de l'avoir et du confort,
qui génère tant de suicides,
notamment chez les jeunes,
a besoin de retrouver son âme.

Il nous faut apprendre
tôt ou tard
la valeur et le sens de la souffrance
au cœur de nos vies.

Il n'est pas possible
de garder l'espérance
sans prier.

Ne nous méprenons pas:
il y aura toujours en nous
des choses à améliorer.
Il y a là matière
non pas à découragement
mais à progrès.

Le respect réciproque
est sûrement le premier pas de la charité.
Il est sans doute aussi
la première condition de la croissance.

Enlever l'espoir à quelqu'un,
c'est le tuer plus sûrement
que lui enlever la vie.

S'il y a des maladies ou des virus
qui perturbent la croissance corporelle,
il y en a tout autant
qui peuvent troubler la croissance affective:
ils s'appellent
médisances, calomnies, jugements, préjugés, etc.

Quand il y a trop de distance
entre notre être et notre agir,
entre nos paroles et nos actes,
il y a risque
que nous tombions dans l'incohérence
et même dans le mensonge et l'hypocrisie.

Tout est affaire d'équilibre:
les grosses têtes et les petits cœurs
ne valent pas mieux
que les grands cœurs et les petites mains.

Et l'équilibre n'est jamais acquis
une fois pour toutes.
Il est à maintenir et à refaire constamment.

S'il suffisait de savoir des choses
pour les mettre en pratique,
la terre serait remplie
de personnes équilibrées
et de saints.

Il y a toujours
un côté ou l'autre de notre personne
qui demande à se développer.

Il faut recommencer bien souvent,
accepter les échecs et les erreurs,
avancer à petits pas,
reprendre le chemin,
un jour à la fois,
parfois même une heure à la fois.

Seuls les orgueilleux et les insensés
peuvent prétendre
pouvoir se passer des autres
pour grandir.

Notre harmonie intérieure
dépend beaucoup
de notre harmonie extérieure.
Et l'inverse est aussi vrai.

Le jour où nous cessons
d'avoir des projets même très simples,
de formuler des rêves même un peu fous,
nous commençons à vieillir.

Les gens,
les jeunes surtout,
ressentent comme une violation
de leur personne
toute tentative d'«éducateurs»
voulant les «former»
à leur image et ressemblance
ou selon un «modèle» préconçu.
D'instinct, ils les rejettent.
Ils veulent être eux-mêmes.
Et ils en ont parfaitement le droit.

Il y a des familles
où il fait bon vivre:
on y grandit bien.
Il y en a d'autres hélas
où c'est l'enfer au quotidien:
on y pousse tout croche!

Le véritable pouvoir
n'est pas celui qui vient d'un titre ou d'une fonction.
C'est celui qui vient
de l'estime que les gens ont de toi,
de la crédibilité que tu as acquise,
de la transparence de ta vie.

On ne grandit jamais mieux
qu'en aidant les autres à grandir.

Qui dit droits
dit nécessairement devoirs.

Dieu ne nous appelle pas à l'excellence,
il nous appelle à la perfection:
«Soyez parfaits
comme votre Père est parfai.t»
(Matthieu 5, 48)
Et la perfection de Dieu
est dans l'amour et la miséricorde.
(Luc 6, 36)

L'important n'est pas
de figurer au catalogue des saints officiels de l'Église.
C'est d'être des saints au jour le jour
dans le cœur de Dieu.

Si nous nous donnons la peine
de rendre service à quelqu'un,
faisons-le avec le sourire.

Il vaut mieux
donner un coup de main
qu'un coup de pied...
serrer quelqu'un
contre son cœur
que contre le mur...
embrasser
que mordre...

Il ne suffit pas
de réussir dans la vie.
Il importe surtout
de réussir sa vie.

Ce qui t'aidera beaucoup à grandir,
c'est le sentiment d'avoir aidé toi-même
quelqu'un à se poser dans l'existence
par un encouragement que tu lui auras donné,
par l'affection que tu lui auras témoignée,
par l'écoute que tu lui auras prodiguée,
par Jésus que tu lui auras fait découvrir.
Les gens ont besoin d'être quelqu'un pour quelqu'un.
Si tu leur en donnes la chance,
tu verras comme ils grandissent bellement
sous tes yeux éblouis
et comme toi-même tu grandiras aussi.

Se sentir utile
et se sentir apprécié
fait autant de bien
que la formation la plus sérieuse du monde.
Il vaut beaucoup mieux
pour ta croissance personnelle
que tu développes un parti-pris de bonté
plutôt que de rancune, de haine ou de jalousie.

Ne te laisse pas démolir
par les gens qui ne t'aiment pas.
Prie pour eux.
Ne vis pas dans la crainte ou le ressentiment.
Fais ce que tu as à faire
et laisse-les braire.
Poursuis ton chemin.
Vis ta vie.

Il y a un contentement tout particulier
à faire des choses gratuites,
qui en apparence ne rapportent rien.
Elle sont des grains de croissance extraordinaires.

Les gens apprécient peu les personnes
qui disent et ne font pas.

Essaie d'avoir la maturité de ton âge.
Tu ne peux avoir la sagesse des cheveux blancs
à vingt ans,
mais tu ne dois pas pour autant
te conduire comme un enfant.

Ce qui compte,
ce n'est pas ce que tu as été
ou ce que tu as fait,
c'est ce que tu es et ce que tu seras,
ce que tu fais et ce que tu feras.

Les gens soucieux de bien grandir
se préoccupent de la qualité
des environnements où ils vivent:
l'air qu'ils respirent,
l'amour qu'ils donnent et reçoivent,
la foi qu'ils cultivent...
mais aussi
la maison qu'ils habitent,
l'école ou l'usine qu'ils fréquentent,
l'église où ils vont prier...

Examine les masques
qu'il y a dans ta vie.
Tu peux tromper les autres,
mais tu ne peux te mentir à toi-même
et tu ne peux tromper Dieu!
Travaille à être le plus authentique possible!

Il y a des gens
qui n'ont pas beaucoup d'apparence
mais qui sont très beaux en dedans de leur cœur.
Le contraire est hélas aussi vrai!

Les éducateurs
sont les jardiniers des humains.

Distinguer
entre une action et son auteur,
entre le péché et le pécheur,
juger l'un sans juger l'autre,
c'est donner à la personne l'espoir
si indispensable pour grandir
et c'est se donner à soi
l'espace de la charité évangélique.

Mettre du positif dans sa vie,
c'est s'aider à grandir;
c'est aussi aider les autres
à faire de même.

S'aimer d'un bon amour,
ce n'est pas être vaniteux ou prétentieux.
C'est se réserver
pour mieux aimer les autres et le Seigneur.

Braquer sa vie
sur le phare de l'Évangile
et prendre Jésus pour maître,
c'est se plonger dans un océan de bonheur,
quoi qu'il arrive.

Les gens finissent par ne pas prendre au sérieux
ceux qui ont la langue longue
et les mains bien courtes.
Les grands parleurs mais petits faiseurs
n'impressionnent qu'eux-mêmes!

Les gens qui ont atteint la maturité
restent fidèles à eux-mêmes,
calmement,
sans entêtement mais avec ténacité,
même au milieu de la réprobation générale
ou de la persécution.
Ils traversent la vie
avec la tranquillité puissante des grands fleuves.

Il n'est pas possible de grandir
sans intériorité:
la réflexion et la prière
sont des ingrédients indispensables à la croissance.

Ne passe pas ton temps
à ressasser tes erreurs,
à «chiquer la guenille» de tes péchés.
Si Dieu te pardonne,
si les autres te pardonnent,
pourquoi ne te pardonnerais-tu pas?

Dieu t'a donné des talents.
Ce n'est pas pour que tu les enterres.
C'est en les développant
et en les mettant au service des autres
que tu trouveras le bonheur.

On ne déracine pas un vieil arbre
pour essayer de le transplanter ailleurs.

Il y a des gens
qu'on aime d'un amour tendre:
ce sont pour nous
comme des frères ou des sœurs.
Il y en a d'autres
qu'on aime avec beaucoup plus de difficulté.
Mais, dans un cas comme dans l'autre,
il nous faut aimer:
c'est une condition nécessaire pour grandir.

Le droit de l'un s'arrête
où commence le droit de l'autre.

Nous avons plus besoin de compréhension
que de congratulations.

La souffrance,
la nôtre et celle des autres,
devrait nous aider à mûrir
et non pas à nous aigrir.

On ne bâtit pas sa bonne réputation
en détruisant celle des autres.
Pour grandir
en beauté et en équilibre,
nous n'avons pas besoin
d'êtres parfaits
mais d'êtres vrais et aimants.

Va te promener dans la forêt,
marche dans un sentier de montagne,
assieds-toi près d'un ruisseau,
adosse-toi à un arbre:
écoute le chant de la forêt,

la musique du silence des sous-bois,
regarde les arbres, les fougères, les fleurs...
vois l'harmonie de l'ensemble,
laisse-toi imprégner par toutes ces beautés.
Tu apprendras beaucoup
non seulement sur la nature
mais sur toi-même.

Nous avons besoin de réfléchir
sur le sens de notre vie ici-bas,
sur l'orientation de notre monde,
sur les valeurs que nous voulons donner
à nos enfants.

Pourquoi n'y aurait-il pas
dans nos maisons
un coin de prière bien aménagé
pour nous permettre un peu d'intériorité
dans nos vies parfois si mouvementées?

Le chemin qui va de la tête au cœur
est parfois bien long
et celui qui va du cœur aux mains
l'est tout autant.
S'il faut être patient,
il faut aussi ne pas négliger
de construire les routes.

Les enfants
qui vivent dans un climat d'amour
grandissent bien.
Les grandes personnes aussi.
La confiance,
celle que l'on donne aux autres
et celle que l'on inspire,
quel merveilleux atout
pour grandir dans la vie!

Tomber, c'est humain.
Se relever, c'est divin.
Demeurer par terre,
c'est «sans-dessein»!
(Parole d'un détenu)

Tout le monde
a le droit de se tromper.

Mets-toi bien dans la tête
que les coups que tu donnes
te feront toujours plus mal
que les coups que tu reçois.

Avant de vouloir
nettoyer le jardin du voisin,
commence par nettoyer le tien.

Arrêter de grandir,
c'est commencer à mourir.

Chaque personne est unique au monde.
Dans le plan de Dieu,
il n'y a pas de copies.
C'est pourquoi il est si important
de devenir ce que l'on est depuis toujours
pour être heureux.

Il suffit d'une seule orange pourrie
pour gâter tout un panier;
il suffit d'une seule personne maligne
pour gâcher la vie de toute une communauté.

Les gens, pour grandir,
ont bien plus besoin
de témoins auxquels ils peuvent s'identifier
que de «modèles» à imiter.

Tout érable a le droit d'aspirer
à devenir un magnifique érable.
Tout artiste a le droit de désirer
devenir un grand artiste.
Toute personne a le droit de vouloir
poursuivre sa vocation propre.

«N'ayez pas le goût des grandeurs,
recherchez plutôt ce qui est modeste.»
(Romains 12, 16)

La personne qui court après
les honneurs, les titres,
les courbettes et les félicitations,
court après des fumées et des vapeurs...
et des déceptions!

Faire du bien aux autres,
c'est s'en faire à soi tout autant...
Et accepter que d'autres nous en fassent,
c'est leur permettre tout autant de s'en faire
à eux...

La joie donnée
rapporte non seulement
à qui la reçoit
mais aussi
à qui la donne.

Il y a des coups de langue
qui font bien plus mal
que des coups de pied.
Mais, à bien y penser,
ils empêchent plus sûrement
leurs auteurs de grandir
que leurs victimes.

Ne cultive pas de ressentiment
contre les gens.
Tu en récolterais
de la bile bien noire
pour ton foie et ton caractère.
Cultive le non-jugement et le pardon,
prie pour les personnes qui te font mal.
Laisse au Seigneur le soin de juger.
Ne regarde pas en arrière.
Va de l'avant.

Rien ne discrédite plus quelqu'un
que le mensonge et l'hypocrisie.
Ce sont des chaînes
qu'il faut briser au plus vite.

Réfléchis bien
avant de prendre un engagement.
Mais, une fois que tu l'auras pris,
sois-y fidèle.
Tu es responsable de ta parole.
Et une promesse est une promesse,
elle est faite pour être tenue.

Jette une pierre dans un puits:
l'eau en est toute énervée.
Fais du commérage dans un milieu fermé,
tu provoqueras beaucoup de tensions.
Lance une pierre dans le fleuve:
il ne s'en émeut même pas.

Parle dans un milieu très ouvert,
tu seras reçu sans trouble.
Les paroles que tu dis,
bonnes ou mauvaises,
surtout les jugements que tu portes,
sont comme un boomerang:
tôt ou tard,
ils te reviennent
pour le meilleur et pour le pire.

Il y a des gens parfois très avancés en âge
qui sont de grands enfants, hélas!
Et il y a des jeunes de vingt ans
qui ont déjà une belle maturité!

Si on prenait le temps
de regarder et d'aimer les humains,
on les verrait grandir à coup sûr
et on découvrirait comme ils sont beaux.

Il y a un danger
à se prendre trop au sérieux...
pour soi et pour les autres.

Rien ne vaut
un bon contentement intérieur,
pas même un bon compte en banque
ou encore l'estime des autres.

Aime la vie
jusque dans la mort.
Car «c'est beau la mort,
c'est plein de vie dedans».
(Félix Leclerc)
Et «celui qui croit en moi,
même s'il meurt, vivra».
(Jean 11, 25)

Nous sommes des êtres de communion,
nous sommes faits pour vivre avec Dieu
et les autres:
il y a toujours de la place
pour de l'amélioration
dans nos relations.

C'est quand on est aimé et apprécié
dans ce que l'on est et ce que l'on fait
que l'on grandit le mieux.

Veux-tu apprendre à grandir?
Veux-tu aller à l'école de la croissance?
Rapproche-toi de la nature:
regarde pousser les arbres, les fleurs, le blé...;
plante un arbre,
sème des grains dans la terre,
cultive une plante dans ta maison.
Tu verras comme leur sagesse tranquille
t'enseignera des choses importantes
pour ta vie.

Les bouleaux supportent assez bien
les petites blessures
que leur font les amoureux
en gravant leurs noms au couteau
sur leur écorce.
Ils continuent de grandir
même s'ils portent longtemps
les marques de leurs blessures.
Mais quand on leur arrache l'écorce,
quand on scalpe leur tronc,
quand on les écorche vifs,
ils finissent par en mourir,
tellement leurs blessures sont profondes.

S'ouvrir aux autres
pour les écouter, les aider
et les aimer,
c'est se donner des chances
pour mieux vivre.

L'important n'est pas
de faire partie du club de la personnalité
de la semaine
ou d'être en nomination au gala de l'excellence.
L'important,
c'est la rose...
oui! la rose que tu cultives
au jardin de ton cœur et du cœur des autres
en les aimant de ton mieux,
au jour le jour,
dans les menus détails de la vie.

Ne travaillons pas
«pour la galerie»
mais pour le Seigneur:
nous en retirerons
un grand contentement personnel
et nous nous éviterons
bien des maux de tête et de cœur.

C'est notre façon d'accueillir
les événements heureux ou malheureux
de notre vie
qui fait que nous grandissons
ou au contraire que nous diminuons.

Pour être heureux,
il n'est pas nécessaire
de faire de grandes choses dans la vie,
d'être dans les honneurs
ou de recevoir des décorations.
Il suffit d'aimer les gens,
de rendre service «pour le plaisir»,
de recevoir et de donner des «petites choses»
comme un sourire, une bonne parole,
un bonjour, une poignée de main...
Ce sont ces «petites choses»
qui font souvent la différence
entre le bonheur et le malheur
de la vie quotidienne.

6 EXAMEN DE CROISSANCE

«SCRUTE-MOI,
MON DIEU...»

Psaume 26, 2

Suis-je capable
de m'émerveiller
devant un coucher de soleil,
de me pâmer
devant une fleur,
de me réjouir
devant un sourire d'enfant
ou un regard de vieillard?

Ai-je le sentiment
d'être une personne libre
en dedans de moi?
Ou suis-je un être enchaîné?

Est-ce que j'ai
de bons et vrais amis
chez les pauvres?

Quelles sont les racines évangéliques
de ma vie?

Qu'est-ce que je fais
pour nourrir ma vie de foi?

Suis-je capable de me donner
un code de lois personnelles
pour discipliner mes instincts
et ordonner ma vie?

Où plaçons-nous notre bonheur?
Quelles sont les valeurs
qui nous font vivre?

Sommes-nous capables
de vivre de façon relativement simple?
Ou sommes-nous de perpétuels

acheteurs de nouveautés?
Ou d'éternels «quémandeurs»?

Suis-je habituellement à l'aise
en compagnie des gens?
Ou ai-je tendance à les bouder
à la moindre anicroche?

Qu'est-ce qui me renouvelle
le plus et le mieux?

Suis-je capable
de confronter quelqu'un
qui doit l'être?
Avec amour et discernement?

Suis-je disponible
pour un certain questionnement
dans ma vie?

Qu'est-ce qui se dégage de ma personne?
Du positif ou du négatif?
De la tolérance ou de l'intransigeance?
De la patience ou de la colère?

Mon regard
met-il les autres en confiance
ou les fusille-t-il?

Y a-t-il de la violence en moi?
Qu'est-ce que je fais
pour harnacher ce torrent?

Quand je suis en proie au découragement,
qu'est-ce que je fais
pour retrouver le goût de vivre?

Suis-je capable
d'accueil et d'écoute véritables?

Suis-je capable d'équilibrer
solitude et relations humaines
en ma vie?

Suis-je capable de rire?
Suis-je capable de faire rire de moi
sans pour autant sombrer
dans la mélancolie ou dans la colère?

Quelles sont mes réactions
quand on fait de l'humour sur mon dos?

Ai-je du mal à dire merci
quand il le faut?

Ai-je assez de simplicité
pour m'excuser
quand c'est nécessaire?

Suis-je capable de pleurer?
Ou de rire de bon cœur?

Suis-je capable
de prendre les autres au sérieux
sans trop me prendre au sérieux?

Pour qui vivons-nous?
Pour nous?
pour les autres?
pour Dieu?
ou pour les trois ensemble?
ou pour les choses...?

Comment réagissons-nous
quand on nous remet en question,
quand on nous confronte
dans ce que nous sommes
ou ce que nous faisons?
Nous nous décourageons?
nous nous choquons?
nous contre-attaquons?
Ou nous en profitons
pour réfléchir?

Es-tu un original
«délectable» ou «détestable»?

Es-tu capable de prévoir
ou es-tu du type myope?
Prends-tu les décisions importantes de ta vie
après mûre réflexion
ou sous le coup de l'émotion du moment?

As-tu un but dans la vie,
une grande passion,
un moteur qui te donne de l'élan?
Qu'est-ce qui te fait vivre...
ou mourir?

Es-tu capable
de respecter le secret des autres?
Ou es-tu du genre «fouine»
qui viole l'intimité des gens
pour satisfaire ta curiosité malsaine?

Es-tu du genre
à juger continuellement les autres,
à leur prêter des intentions
qu'ils n'ont peut-être pas...?

Es-tu un lâcheur
quand les difficultés apparaissent
ou es-tu capable
de t'arrêter,
de réfléchir,
de corriger ce qui peut l'être,
et de repartir avec courage?

Pourrais-tu
voir l'œuvre de ta vie gâchée
et repartir à zéro?

Sais-tu et crois-tu
que Dieu a toujours
le goût de recommencer avec toi?

Es-tu capable d'un peu de rigueur
dans ton travail
ou marches-tu toujours
«à la bonne franquette»?
Sombres-tu dans la facilité...
ou la routine?
Sans être perfectionniste,
es-tu capable de méthode,
d'application, de fini,
dans ta vie?

Est-ce que tu connais tes limites?
Les acceptes-tu vraiment?

Peux-tu
travailler avec d'autres
ou es-tu un ours solitaire?
Peux-tu vivre raisonnablement avec d'autres
ou es-tu toujours en chicane?

Quelle est ta capacité
d'absorber les coups de la vie?

Comment réagis-tu
devant une injure ou une insulte,
devant une médisance ou une calomnie,
devant un jugement porté sur toi?

Quelle place
Jésus occupe-t-il dans ma vie?

Est-ce que je jette mes déchets
(mouchoirs de papier, mégots de cigarettes,
restants de pique-nique, etc.)
dans les poubelles
ou par la fenêtre de mon auto
ou sur le terrain de stationnement?

Quelle est la place de la prière
dans ma vie?
Nulle, occasionnelle, régulière, fréquente?
Je prie seul ou avec d'autres?
Je prie à la maison, sur la rue,
à l'église, dans mon cœur?
Quand ça va mal seulement
ou en toutes occasions?

Est-ce que je nourris ma foi
à la Parole de Dieu?
Comment?
Je lis la Bible, l'Évangile...?

Y a-t-il une grande distance
entre ce que je dis et ce que je fais,
entre ce que je montre et ce que je suis réellement?
Cette distance est-elle pour moi
espace de croissance?

Ai-je tendance
à faire spontanément confiance aux autres
sans pour autant sombrer dans la naïveté?
Ou suis-je naturellement sur mes gardes?

Ai-je
le jugement et la condamnation faciles?
Ou suis-je plutôt enclin
à la tolérance et au pardon?

Qu'est-ce qui émerge à la surface de mon âme
quand je laisse ma vague intérieure se calmer:
le bonheur ou le malheur?
l'espoir ou le désespoir?
la joie ou la mélancolie?
l'amour ou la haine?
le pardon ou la rancune?
le respect ou la moquerie?...

Est-ce que je vis dans le passé?
«Mon temps» est-il mon point de référence
pour juger le «temps d'aujourd'hui»?
Suis-je capable d'accueillir le temps présent
comme le présent de Dieu
au lieu de cultiver
la nostalgie du temps passé?

Suis-je capable d'accepter
que des gens soient meilleurs que moi?

Ai-je une très grande préoccupation
de mon apparence,
de mon «image»,
de l'opinion des gens sur moi?
Comment cela se manifeste-t-il?

Ai-je tendance
à juger les gens sur l'extérieur
ou bien à considérer leur cœur
avant toutes choses?

Suis-je un bourreau de travail
au point de me surmener
et de ne jamais me reposer,
de ne jamais prendre de vacances?
Ou, au contraire,
suis-je un fieffé paresseux,
dévoreur de télévision
et amateur de sommeil?

Si je suis capable de rendre service,
est-ce que je le fais,
est-ce que je sais me rendre disponible?

Y a-t-il au moins un pauvre
dans ma vie,
que j'aide et que j'aime,
que j'écoute et qui m'instruit?

Est-ce que j'aime mieux
être servi que servir?

Suis-je un artisan de paix
ou un faiseur de chicanes?

Quelle est ma réaction
quand j'apprends
que des gens pensent différemment de moi?

Quelle est la place de l'alcool
dans ma vie?
Nulle, occasionnelle ou régulière?
Détente ou fuite de mon vécu?
Je le domine ou il me domine?

Qu'est-ce qui pousse
au jardin de notre cœur?
L'amour de l'argent?
le ressentiment?
le mépris des autres?
le dégoût de nous-mêmes?
Ou l'estime de nous-mêmes?
le respect des autres?
le préjugé favorable?
le don...?

Sommes-nous habituellement
de bonne humeur ou de mauvaise humeur?
Avons-nous le sourire facile
ou la gueule de bois chronique?
Somme-nous ordinairement critiqueurs
ou portés à encourager les autres?

Avons-nous le sentiment
d'être heureux
ou malheureux?
À quoi cela tient-il?

Suis-je enchaîné
à l'amour de l'argent
ou à la peur d'en manquer pour mes vieux jours?

Es-tu capable
de te pardonner
tes propres erreurs?

As-tu déjà réfléchi
sur l'importance des racines
pour un arbre
et pour un être humain?

Peux-tu
tourner la page sur tes bêtises,
arrêter de te déprécier,
cesser d'être négatif envers toi-même,
aborder chaque jour comme un jour nouveau
que Dieu te donne comme un beau cadeau?

Es-tu capable
de bâtir ta vie
à partir non pas des situations
que tu imagines dans ta tête
mais des faits réels?

Y a-t-il un grand amour,
un grand désir,
dans notre vie?
Quelque chose d'assez puissant
pour nous brûler le cœur,
d'assez motivant
pour mobiliser nos énergies,
d'assez interpellant
pour unifier notre être?

7 Être cohérent et transparent

«Être ou ne pas être:
voilà la question!»

Shakespeare

«C'est la vérité
qui vous rendra libres.»

Jean 8, 32

Le petit Jean-François

Le petit Jean-François, dix ans, revient de l'école.
Tout en savourant une tartine dans la cuisine,
il raconte sa journée à sa maman.
Aujourd'hui il a appris ce que c'est qu'un synonyme.
Tout fier, il dit à sa mère:
«Par exemple, "énervé" et "excité" sont des synonymes,
parce que quand je suis excité
je suis toujours énervé.»
À vrai dire, sa maman a compris
mais elle lui dit
que ce n'est pas toujours le cas:
«La preuve, quand j'étais jeune,
ton père m'excitait;
aujourd'hui, il m'énerve;
et je t'assure que ce n'est pas pareil!»

Jean-François a bien gravé la différence
dans sa petite tête.
Le lendemain, en entrant en classe,
il demande à Marguerite, sa maîtresse d'école:
«Ton chum, il t'excite ou il t'énerve?»
Et bien candidement il raconte à Marguerite
la réflexion de sa maman.
Marguerite, qui aime bien Jean-François,
qui le respecte
mais veut aussi être respectée, lui dit:
«Ça, Jean-François, c'est une affaire personnelle»;
en d'autres mots: «Ça me regarde!»

Le curé de Munich

Il y avait un curé
qui vivait dans une paroisse du centre de Munich.
La ville, on le sait, est renommée
pour ses buveurs de bière et ses nombreuses tavernes.
Chaque samedi soir,
le curé se rendait dans une brasserie
et il fêtait joyeusement avec certains de ses paroissiens
en se versant quelques bons pichets de bière
derrière le collet romain.
Le lendemain,
quand il montait en chaire pour faire son sermon,
il disait invariablement à ses paroissiens:
«Mes bien chers frères et sœurs,
faites comme je vous dis,
mais ne faites pas comme je fais.»

Le petit Jean-François et le curé de Munich

Je viens de vous raconter l'histoire du petit Jean-François, de sa mère et de son institutrice, de même qu'un fait vécu par le curé d'une paroisse de Munich. Quels enseignements tirer de ces deux récits?

D'abord de l'histoire. La maman a été *vraie* (authentique) avec son fils qu'elle connaît et aime bien; elle a été *cohérente.* L'institutrice également mais d'une autre manière: comme elle le connaît moins et qu'elle l'aime bien, elle ne lui a pas dit de mensonge, mais a été réservée sur la vérité. Quant à Jean-François, sa candeur naturelle l'a préservé de toute fausseté comme de tout mensonge.

Ensuite du fait. Le curé était *cohérent* avec lui-même et *transparent* avec ses paroissiens. Il était *vrai* (authentique): il ne les trompait pas sur sa vie, il les aimait et les respectait trop pour cela. Chez lui, pas la moindre trace d'hypocrisie ou d'orgueil; non, rien que de l'humilité et de la vérité. Mais parce qu'il voulait pour eux le meilleur, il leur disait ce qu'il y avait de mieux à faire pour leur conduite chrétienne, même si, lui, il avait du mal à le mettre en pratique. Évidemment, on aurait pu souhaiter qu'il pratiquât ce qu'il enseignait; mais il avait au moins le courage de la vérité.

Conférence donnée à des enseignants et enseignantes des écoles séparées d'Ottawa (Ontario).

En somme, le curé, l'institutrice et la maman, et même Jean-François, ont été *cohérents* parce qu'ils ont été vrais dans leur dire et dans leur être. Et leur cohérence a pris sa source dans leur amour et leur respect des gens.

Regards sur Jésus

Jésus était un être d'une grande cohérence. Et c'est cette cohérence qui fondait l'unité profonde de sa personne et qui lui donnait beaucoup d'autorité.

Les contemporains de Jésus disaient en effet de lui qu'il parlait avec *autorité.* En fait son autorité ne lui venait pas de ce qu'il parlait toujours fort au point de défoncer les tympans des gens, ou de ce qu'il avait un air méchant, ou les yeux sévères et les lèvres serrées. Jésus n'inspirait pas la crainte et il n'y avait rien d'autoritaire dans sa conduite. Cette autorité ne lui venait pas non plus principalement du fait qu'il avait une personnalité de leader qui savait naturellement se faire écouter.

Son autorité lui venait plutôt de sa *crédibilité.* Et sa crédibilité ne lui venait pas d'abord de ses titres ou de sa prestance, mais surtout du fait qu'il n'y avait *aucune distance entre son dire, son agir et son être.* Son attitude contrastait singulièrement avec celle de certains pharisiens et de certains scribes qui «disaient et ne faisaient pas», qui «affectaient de faire ce qu'ils disaient», en «imposant aux autres des fardeaux qu'ils ne soulevaient même pas du petit doigt» *(Matthieu 23, 4).* Ils avaient peu de crédibilité parce qu'il y avait trop de distance entre leur dire, leur agir et leur être. Bref, ils manquaient de cohérence.

Jésus, au contraire, est vrai, authentique, cohérent, parce que chez lui l'être, le dire et l'agir se rejoignent totalement: il a de la crédibilité, donc de l'autorité véritable.

Mais la cohérence de son être vient également d'une source encore plus profonde chez lui: *l'unité de sa vie et de sa personne.* Sa cohérence vient d'un principe intérieur. En fait, le Christ est animé d'une grande passion qui polarise toutes les forces de sa personne, donne de la densité à tout son être et unifie son agir: **il aime.**

Jésus est animé d'un double amour: son Père et les gens. C'est ce double amour, cette grande passion, qui donne de la profondeur à toute son existence, qui le rend intensément vrai, qui engendre la cohésion de son agir. C'est ce grand amour qui le rend également attrayant pour les gens, fascinant pour les foules, presque séduisant. C'est ce grand amour qui fait de lui un éducateur hors du commun.

Bref, Jésus est un grand vivant. Il est la Vie *(Jean 14, 6).* Et c'est pourquoi il peut donner la vie avec tant de puissance et tant d'abondance *(Jean 10, 10).*

Et nous...

N'est-ce pas la même chose pour nous? Et comme personnes et comme éducateurs?

Nous sommes appelés à **devenir des êtres de plus en plus authentiques.**

La priorité, dans notre vie et a fortiori dans notre éducation, *est à l'être et à l'être vrai.* En ce sens, l'attention apportée à *l'être* l'emporte de beaucoup sur *le savoir* et le *savoir-faire.* Le véritable éducateur, même enseignant, n'est pas uniquement un transmetteur de connaissances, un initiateur d'habiletés et d'apprentissages, même si en ces domaines notre compétence ne doit pas être mise en doute et doit faire l'objet constant de notre attention et de notre responsabilité.

Les jeunes qui nous sont confiés s'attendent surtout à ce que nous soyons *vrais* d'abord dans notre *être,* ensuite dans notre *agir* et enfin dans notre *dire. Être vrai* ne signifie pas nécessairement être parfait, bien au contraire. Pensons à notre curé de Munich: il n'était pas parfait, mais il était vrai. Autrement, nous risquons de sombrer dans le culte et la préoccupation, quand ce n'est pas l'obsession, du paraître, de l'«avoir-l'air», du «faire-semblant», de l'«image parfaite», qui ne sont pas très éducatifs.

Il y aura toujours *une distance entre notre être, notre agir et notre dire,* car nous ne sommes précisément pas parfaits. Toutefois, cette distance ne doit pas être comblée par une apparence de perfection qui tôt ou tard éclatera aux yeux de nos élèves, de nos enfants ou de nos paroissiens, qui compromettra nos efforts d'éducateurs et détruira notre crédibilité pour longtemps. Cette distance ne signifie pas non plus que nous devons être si «transparents» que tout doit être dévoilé de notre être et de nos comportements. La prudence et la discrétion exigent parfois une certaine retenue dans notre «exposition» aux autres. Rappelons-nous l'exemple de Marguerite, l'institutrice de Jean-François. La prudence et la discrétion, dis-je, pas l'hypocrisie et encore moins l'orgueil ou le souci de paraître autre que ce que l'on est réellement. Cette distance signifie qu'il faut éviter toute attitude «pharisaïque» qui, on le sait bien, serait grandement anti-éducative.

Il vaut mieux *apprendre à «gérer» cette distance.* Cette gérance ne se fait pas habituellement en agissant comme si la distance n'existait pas, ce qui risquerait de nous conduire dans la fausseté qui, on le sait, n'est guère favorable à une bonne éducation. Cette gérance passe plutôt par le chemin de la vérité sur soi et d'une bonne transparence envers les autres: notre curé ne se conte pas d'histoires: il boit tous les samedis soir. Il n'en conte pas non plus à ses paroissiens: «Ne faites pas comme je fais, faites plutôt comme je vous dis.» Bien sûr, il eût mieux fait de ne pas boire. Mais, entre jouer au non-buveur alors que les gens savent qu'il l'est, et admettre humblement qu'il est buveur, il y a non seulement l'espace de la vérité mais aussi celui de la croissance: la sienne et celle de ses paroissiens.

Car il faut *apprendre à «gérer» cette distance pour soi mais aussi pour les autres.* C'est quand nous avons devant les autres une attitude responsable, authentique et cohérente le plus possible, que nous aidons les autres à grandir, que nous les respectons vraiment et qu'ils nous respectent également. Le respect engendre le respect. Bien plus, la vérité engendre la crédibilité; et la crédibilité, l'autorité authentique. Saint Paul aimait mieux dire aux Romains: «Je fais le mal que je ne veux pas et je ne fais pas le bien que je voudrais» *(Romains 7, 19),* que de leur conter des histoires sur sa prétendue sainteté. Il m'arrive, à la prison où je suis aumônier, de me faire interpeller par l'un ou l'autre détenu qui me posent des questions sur ma vie de prêtre pieux, dévoué, célibataire chaste et obéissant: je leur réponds que je ne suis pas un ange, que j'essaie de faire mon possible, mais qu'il m'arrive comme à tout le monde de ne pas être parfait en tout. Cela vaut mieux, me semble-t-il, que de leur renvoyer une «image» de ma prétendue perfection qu'ils seraient d'ailleurs les premiers à ne pas «avaler».

L'éducateur authentique n'est pas simplement celui qui parle ou qui enseigne de belles vérités, même s'il est aussi celui-là. *L'éducateur authentique est celui qui questionne et qu'on peut questionner* à partir ce qu'il est véritablement, non pas seulement à partir de ce qu'il sait ou de ce qu'il prétend être. Il est un peu comme l'Évangile qui n'est pas simplement un livre de réponses mais aussi un livre d'interpellation: il interpelle les gens, mais il est aussi questionné par les gens. Mon grand-père avait l'habitude de dire: «Ce que tu es crie si fort que je n'ai pas besoin d'entendre le bruit de tes paroles!»

Notre autorité vient principalement, faut-il le répéter, de notre cohérence et de notre authenticité. Et cette cohérence et cette authenticité viennent avant tout de la vérité de tout notre être, y compris de nos erreurs, de nos carences, de nos failles. Autrement, nous risquons d'être faux et du même coup d'être de mauvais éducateurs.

***

Notre cohérence vient également, comme celle de Jésus, **de notre amour.**

Qu'il y ait dans notre vie *une grande passion,* un grand amour. Avec un brin de tendresse autant que possible. Alors, incontestablement, nous serons de grands éducateurs. Regardez les papas et les mamans qui aiment vraiment leurs enfants: ils n'ont pas tous des diplômes des grandes universités, mais ils sont tous de bons éducateurs. Ils ne sont pas parfaits mais, s'ils sont authentiques, ils sont de bons parents.

Que les jeunes sachent et sentent qu'ils sont aimés véritablement de nous. Qu'ils sachent que nous sommes animés d'un grand amour pour Dieu et aussi pour les gens. Qu'ils découvrent que, si nous aimons tout le monde, c'est-à-dire que nous sommes «égaux pour tous», nous avons une préférence marquée pour les plus mal pris de nos groupes, de nos familles, de nos classes, que ces derniers soient malades, déficients, retardés ou même délinquants. Les «bien pris» ne nous le reprocheront pas, soyons-en assurés.

L'amour, nous le savons, est capable de tant de miracles chez les humains. C'est l'instrument par excellence en éducation. C'est la clé de la croissance et de l'éducateur et des éduqués.

Un ministre de l'Éducation du Québec offrait il y a quelques années ses vœux de Noël aux enseignants: «Je ne peux pas vous promettre une augmentation de salaire: nous sommes encore cette année en pleine période de restrictions budgétaires. Mais je peux vous souhaiter ceci de tout mon cœur: qu'il y ait beaucoup d'amour dans votre vie! Rappelez-vous ceci: nous avons dans nos écoles beaucoup d'instruments de plus en plus sophistiqués, des magnétophones, des magnétoscopes, des ordinateurs, etc.; et pourtant un enfant trouve sa joie simplement avec un bout de ficelle, *pourvu qu'au bout du fil il trouve un ami, c'est-à-dire quelqu'un qui l'aime!*» Il avait raison, sinon au sujet des augmentations de salaire, du moins au sujet de l'amour qui devrait être toujours présent dans nos vies d'éducateurs et d'êtres humains!

La cohérence de nos personnes et l'unité de notre être d'éducateurs ne proviennent pas d'abord d'un principe extérieur à nous comme la discipline, l'ordre, les divers règlements, etc., même si ces choses sont utiles et nécessaires. Elles découlent surtout d'un principe intérieur qui est ordinairement et naturellement *l'amour.*

La relation interpersonnelle qui s'établit entre un éducateur et un éduqué est capitale: si elle est marquée au coin de l'amour donné et reçu, elle devient une relation de croissance réciproque. N'est-ce pas merveilleux? À la prison commune de St-Hyacinthe, nous est arrivé l'autre jour un jeune complètement analphabète. Grâce à la générosité d'une dame à la retraite, il a pu profiter d'un cours d'alphabétisation. À l'intérieur de la relation pédagogique, une véritable relation d'amitié s'est établie: chaque personne en a tiré du profit et y a trouvé son compte. André disait: «Thérèse est un peu comme ma grand-mère; je suis bien avec elle.» Et Thérèse disait la même chose: «C'est comme si André était mon petit-fils; je l'aime bien!»

À Noël, les détenus du secteur A du Centre de Détention m'ont décerné un certificat d'amitié: «Ceci est pour certifier que notre aumônier est notre ami» et ils ont tous signé leur nom au bas du document. Ce fut mon plus beau cadeau.

Quand l'amour circule bien dans un milieu, tout le monde grandit. C'est comme *une atmosphère, un bon climat.* Les arbres d'une forêt poussent bien quand l'air est suffisamment pur et que les pluies ne sont pas trop acides. Les élèves d'une classe, les membres d'une famille, les résidants d'un foyer ou d'une prison, grandissent bien quand ils ont la possibilité d'être aimés et d'aimer.

***

Cette cohérence éducative, qui repose et sur la vérité de nos personnes et sur l'amour dans nos relations, peut se développer grâce à des **attitudes** et des **comportements** appropriés. En voici quelques-uns.

Premièrement, *nous prendre pour ce que nous sommes réellement et non pas pour d'autres.* Au fond, nous sommes tous appelés à devenir de plus en plus ce que nous sommes. N'est-ce pas cela la vérité profonde de notre être?

En éducation, cette conviction conduit infailliblement à vouloir la même chose pour nos élèves. Nous n'ambitionnerons pas qu'ils deviennent comme nous mais nous les aiderons plutôt à devenir ce qu'ils sont en vérité. Un auteur contemporain dit aux parents: «Ne cherchez pas à faire de vos enfants ce que vous êtes... mais travaillez à ce qu'ils deviennent ce qu'ils sont!» Cela veut dire entre autres qu'il faut leur donner un espace de liberté suffisant pour qu'ils puissent s'épanouir dans leur être profond. Cela veut dire même qu'il faut accepter qu'ils ne soient pas parfaits, qu'ils puissent se tromper, faire des erreurs, subir des échecs, etc.

Deuxièmement, *avoir la préoccupation de grandir dans toutes les dimensions de notre être et d'une manière la plus équilibrée possible.* Nous avons un corps qui a des besoins physiques, mais nous avons aussi des émotions et des sentiments. Nous avons également une tête qui demande à réfléchir, à penser, à étudier, etc. Nous sommes des êtres de relations avec un cœur pour aimer et pour communiquer avec les autres. Nous sommes enfin des êtres spirituels qui entrons en relation avec Dieu. Toutes ces dimensions sont importantes et doivent se développer d'une façon harmonieuse et équilibrée: c'est un défi à relever constamment.

En éducation, cela doit également se voir. Avoir le souci d'aider les gens à se développer dans toutes les dimensions de leur être et autant que possible d'une manière harmonieuse relève de la responsabilité de chaque éducateur mais aussi du projet éducatif que chaque institution cherche à se donner. Autrement, on risque de produire des «monstres», c'est-à-dire par exemple de «grosses têtes» et de «petits cœurs» ou l'inverse, de «gros bras» et de «petits cerveaux», etc.

Troisièmement, *cultiver le respect réciproque.* Le respect est le premier pas de l'amour vrai. Dans un milieu de vie et a fortiori dans un milieu éducatif, le respect est la porte d'entrée de toutes les relations qui s'établissent entre les personnes. Si le respect est présent, tout est possible; s'il est absent, tout devient plus difficile et même impossible. Les gens grandissent bien quand ils se sentent respectés dans leur être profond et quand ils respectent les autres. De respectés, ils deviennent respectants; et de respectants, ils deviennent respectés. Ce n'est pas un «cercle vicieux», c'est une «boule de neige».

Quatrièmement, *être de bons et de grands vivants.* Pas des viveurs, mais des vivants. C'est beau et c'est bon la vie! Empoigner la vie à pleines mains, même dans les moments difficiles, c'est bon pour soi et pour les autres. Quel beau cadeau à faire que d'apprendre cela particulièrement aux jeunes!

Avoir de l'humour. De l'humour donné mais aussi reçu. Il y a en effet des gens qui sont merveilleux pour donner de l'humour mais qui le sont moins pour en recevoir. Cela s'apprend. Apprendre à dédramatiser les situations. Apprendre à rire de soi et à faire rire de soi, sans paniquer et sans remuer ciel et terre.

Être sérieux, oui. Traiter sérieusement ce qui doit l'être, d'accord. Il y a dans la vie des circonstances et des choses sérieuses, c'est vrai. *Mais ne pas trop se prendre au sérieux.* La terre a tourné avant nous et elle tournera encore après nous. Ne cherchons pas trop non plus à nous faire prendre au sérieux. C'est fatigant pour soi et aussi pour les autres. L'humour vient de la même racine que l'humilité (du latin: *humus* qui veut dire terre). Et l'humilité, c'est la vérité. Et la vérité, c'est la cohérence.

Sourire. Rire même. Il n'y a rien comme le sourire pour faciliter les relations entre les personnes: c'est comme si on leur donnait la note de musique qui chante dans notre cœur. Il n'y a rien comme un rire franc et éclatant pour détendre l'atmosphère. Le sourire et le rire sont souvent l'indice de la bonne santé d'un groupe. Il paraît qu'il faut plus de muscles pour se crisper le visage que pour rire! La joie extérieure est habituellement la manifestation de notre joie intérieure. Elle est un antidote merveilleux à l'ennui et même à la morosité qui empoisonnent tant de milieux éducatifs et autres. Plus largement, il s'agit ici d'apprendre à ne pas toujours cacher ses sentiments et ses émotions; s'il faut les contrôler parfois, il n'est pas bon de les camoufler sans cesse. Il est bon de rire quand il faut rire, de pleurer aussi quand il faut pleurer. C'est là aussi une question de vérité et de cohérence. Et de bonne santé.

Ne pas aller au-delà de ses limites et de ses capacités. Cela s'apprend et c'est important de l'apprendre pour soi et pour les autres. Autrement, on risque d'aboutir à la dépression, au *burn-out* ou de s'engouffrer dans toutes espèces de «compensations» ou d'«évasions» comme l'alcool, la drogue, le jeu, l'hyperactivité, etc. Il faut savoir que si l'on est épuisé on risque d'être épuisant, et qu'alors on n'est jamais bon éducateur. Il faut savoir aussi que si l'on est reposé on a de bonnes chances d'être reposant, et qu'alors on est meilleur éducateur! Cultiver la «forme» le plus possible!

Cinquièmement, *être humains, profondément humains.* Nous serons alors bien près d'être chrétiens. Être sensibles à ce qui arrive aux autres. Ne pas se barricader derrière une façade insensible et invulnérable. Ne pas jouer au surhomme ou à la surfemme. Être faits de forces, mais aussi de faiblesses; être faits de grandeurs, mais aussi de misères: le savoir et l'accepter, chez soi et chez les autres. C'est cela être humain, il me semble. Et alors, nous devenons capables de poser des gestes humanitaires de toutes sortes, de comprendre les autres en profondeur, de les excuser même et de leur pardonner. Nous leur donnons, par notre être et nos comportements, le beau cadeau de l'humanité.

Sixièmement, *accepter la loi du cheminement* dans notre vie et dans celle des autres. Nous grandissons tous par étapes, par succès et par échecs, par bons et mauvais coups, par performances et contre-performances. C'est l'expérience, faite de l'ensemble de nos bêtises mais aussi de nos réussites, qui nous permet de cheminer dans la vie et dans notre être. Le découvrir et le faire découvrir est une donnée éducative d'importance.

Bref, *soyons de grands aimants.* Les jeunes sentent d'instinct si nous les aimons ou non. Ce qu'ils recherchent le plus chez nous, ce n'est pas la compétence, même si elle est importante, c'est qu'ils soient quelqu'un pour nous, c'est que nous les estimions dans ce qu'ils ont, ce qu'ils disent et surtout ce qu'ils sont, c'est que nous les aimions. Le grand Jean Vanier disait: «Rien n'aide plus quelqu'un à grandir que le sentiment de se savoir aimé.»

Conclusion

Aujourd'hui, on parle beaucoup d'*innovation.* La véritable innovation, nous le savons tous, n'est pas d'abord au niveau du *faire*, des méthodes pédagogiques, des technologies nouvelles, des instruments de plus en plus perfectionnés, même si tout cela est important et ne doit pas être négligé.

La véritable innovation est au niveau de l'*être.* C'est la vérité profonde de notre être qui fera de nous des personnes libres: «La vérité vous rendra libres», disait Jésus *(Jean 8, 32).* Il disait encore à ses disciples: «Je vous donne un commandement nouveau: aimez-vous les uns les autres comme je vous ai aimés» *(Jean 13, 34).* Ce commandement n'est pas nouveau parce que les autres étaient désuets ou anciens; il est nouveau parce qu'il *renouvelle* sans cesse l'être profond des personnes. Nous le savons d'expérience: quand on est en amour, on est renouvelé au plus profond de soi, on trouve une cohérence merveilleuse dans tout son être. C'est l'Esprit du Seigneur qui «renouvelle la face de la terre», qui «fait toutes choses nouvelles», qui est capable avec nous de nous conduire à cette innovation en profondeur.

Que votre école soit une école où l'amour circule le plus librement possible. Que votre maison soit une maison où ruisselle l'amour entre tous les membres de la famille. Que nos institutions soient des institutions marquées par un amour vécu en vérité et en beauté. Rappelons-nous: ce dont les jeunes ont le plus besoin pour bâtir leur propre cohérence, ce ne sont pas des êtres parfaits, mais des êtres vrais et des êtres aimants.

8 Le credo d'un enseignant chrétien

«Ce que Dieu nous demande,
c'est exactement
ce que nous demandons à nos enfants:
la confiance.»

Chevignard

«Voici mon credo:
Je crois
parce que j'aime.»

Huvelin

Émilie

Émilie est institutrice.
Elle enseigne à des petits «bouts de chou»
de troisième année.
Elle n'a pas pris de temps
à les connaître tous par leurs prénoms.
Elle sait l'histoire de chacun et de chacune:
leur famille, leur santé, leur caractère...
Quand ils sont assis à leurs bureaux,
attentifs à corriger leur dictée
ou à résoudre un problème de mathématique,
Émilie se surprend à les regarder,
que dis-je, à les contempler.
Elle les aime, ses élèves.
Elle croit en leurs possibilités,
elle voit en eux des êtres pleins de promesses,
des petites fleurs
qui un jour produiront de beaux fruits.
Elle rêve à Fanny qui veut être architecte,
à Suzie qui veut être enseignante
«comme toi, Émilie»,
à Pierrot qui se voit déjà
au volant d'un gros camion,
à Ti-Louis qui veut aller dans les étoiles.

Émilie croit sincèrement à ses élèves.
Et eux ont confiance en elle.
Sa classe est un jardin fleuri
où tout le monde grandit très bien.

Louis-Jean

Quand Louis-Jean est arrivé au Centre de désintoxication,
personne à vrai dire n'espérait quelque chose pour lui.
Il avait déjà fait deux stages au Centre
sans succès visible.
Il retombait toujours
dans sa bonne vieille cocaïne
et sa douzaine de bières.
Il était devenu pour tout le monde
un fardeau, un poids,
pour ne pas dire un embarras.
Il se trouva tout de même François, un intervenant,

un peu fou sur les bords,
un peu zélé sur la frange,
qui demanda à s'occuper de Louis-Jean.
On le lui «donna» avec empressement,
tellement personne ne voulait l'«avoir».
Alors s'établit peu à peu entre Louis-Jean et François
une relation de confiance réciproque, presque d'amitié.
Cela ne se fit pas tout d'un coup:
il fallut de la patience,
de l'accueil et de l'écoute,
des recommencements,
des retours sur le vécu.
Mais cela se fit.
Petit à petit,
on vit Louis-Jean renaître,
on vit apparaître sa vraie nature.
Lui-même se mit à dire
qu'il était «ressuscité»,
qu'il commençait à s'aimer
et qu'il était heureux de vivre.

La confiance...
quelle merveille!

Gilles

Gilles est curé d'une paroisse de ville.
Comme beaucoup de paroisses,
la sienne est «immense»,
et en territoire et en paroissiens.
Et comme beaucoup de curés,
il ne fournit pas à la tâche.

Gilles est aussi un homme bourré de talents:
il a le sens de l'organisation,
il a un leadership naturel,
c'est un bon «rassembleur»;
en plus, il chante comme Pavarotti
et il ne prêche pas mal du tout:
il a le don de rejoindre les gens
dans leur vie quotidienne,
de leur raconter des histoires qui leur parlent
et de les «connecter» à l'Évangile.

Petit à petit,
il a formé une équipe de bénévoles:
ensemble, ils ont «pensé» la pastorale paroissiale.
Cette équipe a fait des «petits».
Aujourd'hui, la paroisse est «équipée»,
c'est le cas de le dire:
équipe de chant, de service de la messe,
d'entretien de l'église,
de planification administrative,
de visite des malades et des esseulés,
d'initiation sacramentelle,
de dépannage de pauvres, etc.

Gilles est le «moteur» de toute cette «ruche»,
comme disent les gens.
Ce que les gens ne savent pas,
mais ils s'en doutent,
c'est que Gilles puise son énergie
dans ses ressources personnelles, bien sûr,
mais aussi dans un contact quotidien et chaleureux
avec le Seigneur,
dans l'amitié de quelques confrères,
et dans l'estime qu'il donne à ses paroissiens
qui la lui rendent fort bien.

La paroisse est un jardin plantureux:
des fleurs et des plantes de toutes sortes
y poussent fort bien.
Et tout le monde est content.

Pour moi, le credo d'un enseignant chrétien se traduit en trois vérités simples et claires: croire aux jeunes, croire en soi et croire en Dieu.

Croire aux jeunes

Il n'est pas possible, me semble-t-il, d'enseigner aux jeunes si on ne croit pas en eux. C'est là non seulement une question d'honnêteté professionnelle, mais aussi de fidélité en leurs personnes.

Croire aux jeunes. Envers et contre tout et tous, j'oserais dire. Croire en leur capacité de grandir, de se reprendre, de recommencer, de repartir à zéro, même. Ne jamais se dire ou se laisser dire: «Tu perds ton temps avec ce jeune... Il n'y a rien à faire avec lui...» Autrement, on risque de se démobiliser soi-même et surtout de leur enlever tout espoir de grandir. Et l'espoir, c'est si important pour vivre.

Croire aux jeunes. S'habituer à distinguer entre la personne et ce qu'elle pense, ce qu'elle fait, ce qu'elle dit... Si l'on peut et doit même juger les actions, on ne doit pas juger la personne. Il arrive même que l'on doive dire à la personne le jugement que l'on porte sur ses actions, ses attitudes et ses comportements: qu'alors elle ne se sente pas jugée mais qu'elle sente plutôt qu'on cherche à l'aider dans son

---

Courte communication à des enseignants et enseignantes d'Ottawa (Ontario).

développement et qu'on l'aime véritablement. Par exemple, il peut être utile de dire à quelqu'un: «Tu ne travailles pas assez, tu ne te donnes pas assez à tes études, il y a de la violence en toi, à telle ou telle occasion tu as menti, tu as fait de la manipulation, du ressentiment, de l'apitoiement, etc.» Non pas pour accuser ou culpabiliser, mais pour faire prendre conscience et pour favoriser la croissance. Il n'y a pas à avoir peur: les jeunes savent très bien «détecter» la personne qui les aime vraiment et qui leur fait confiance en tout. Ils n'hésitent pas à lui donner leur confiance en retour.

Croire aux jeunes. Créer un climat d'estime réciproque. Favoriser des relations de confiance et de franchise. S'asseoir avec eux et dialoguer en toute amitié, mais aussi en toute vérité. N'est-ce pas là le sens de ce que des psychologues américains appellent la «reality therapy»? N'est-ce pas là aussi un bon moyen d'éviter de «faire simplement un job», ce qui tue à coup sûr la croissance et de l'éducateur et de l'éduqué?

Croire aux jeunes. Les respecter dans leur être profond. Qu'ils sentent qu'ils sont importants pour nous. Être poli avec eux. Les écouter attentivement et non pas distraitement ou pour la forme. Répondre calmement autant que possible. Ne pas être brusque. Ne pas les envoyer promener.

Croire aux jeunes. Les accompagner dans leur devenir. Leur pardonner. Dépasser la blessure qu'ils peuvent nous faire parfois pour rejoindre la leur. Mais aussi les confronter, les questionner, toutes les fois que c'est nécessaire. C'est la vérité qui libère.

Croire aux jeunes. Les aimer vraiment. Dans leurs bons coups mais aussi dans leurs mauvais. Au-delà de leurs erreurs et même de leurs bêtises. Les aimer tous, sans aucune discrimination.

Croire aux jeunes. Croire qu'ils sont les «images» vivantes de Dieu, qu'ils sont des «enfants de Dieu», candidats à l'amour de Dieu... comme nous tous.

Croire en soi

Croire en ses capacités, en ses qualités, en ses compétences. Croire en sa capacité d'aimer et d'être aimé.

Croire également à ses limites. Les connaître et les reconnaître. Les accepter dans la vérité, sans pour autant les cultiver.

S'aimer d'un bon amour. Ne pas se dorloter ni s'apitoyer constamment. Mais se réserver pour mieux se donner, se garder des espaces et des temps pour récupérer, pour se ressourcer, afin d'être plus disponible par la suite.

Qu'est-ce qui se dégage de notre personne? Quelles «vibrations» sortent de nous? Quelles sont les «ondes» que nous lançons habituellement aux gens? Qu'est-ce qui nous fait vivre ou mourir? Où va notre cœur quand nous le laissons aller?

Comment les jeunes nous perçoivent-ils? Quelle image leur renvoyons-nous? Positive ou négative?

Croire en Dieu

Voici quelques repères.

Croire en Dieu, ce n'est pas seulement adhérer à des vérités, énoncées par exemple dans le Symbole des Apôtres ou formulées par le magistère de l'Église.

Croire en Dieu, c'est aussi mettre sa confiance en un Être personnel: puissant, aimant, accompagnant, aidant, compréhensif, pardonnant, passionnant et passionné de nous, prêt à recommencer sans cesse avec nous, etc.

Croire en Dieu, c'est aussi cultiver sa vie de foi. La foi, comme toute vie, a besoin de se nourrir, notamment par la Parole de Dieu et par la prière. Elle a besoin également d'exercice, notamment par la charité fraternelle.

Croire en Dieu, c'est encore développer son regard de foi, c'est cultiver ses réflexes de foi, face aux gens, aux situations et aux événements. C'est croire en sa mission d'éducateur, en sa vocation d'enseignant chrétien. C'est croire que Dieu nous a choisis...

Croire en Dieu, c'est regarder Jésus qui aime tout le monde, mais plus particulièrement les démunis et les gens de mauvaise réputation, et essayer de mettre ses pas dans les siens. C'est voir Jésus dans le cœur de l'autre comme en son propre cœur; c'est encore le découvrir dans le pauvre... en nous et dans les jeunes...

Croire en Dieu, c'est croire à l'impossible...

Conclusion

En éducation, humaine et chrétienne, *tout est affaire de confiance.*

Confiance en soi, en les autres et en Dieu.

Confiance aux ressources des personnes, aux siennes et à celles des autres.

Confiance en la capacité de grandir des gens. Capacité quasi illimitée.

Confiance en l'Esprit, agent de croissance par excellence, qui nous habite tous.

9 Les jeunes et la loi

«Toute la loi consiste
à aimer Dieu
et à aimer son prochain.»

Matthieu 22, 40

Cathy

Cathy n'a que cinq ans.
Mais c'est déjà une grande fille.
Ainsi elle n'a pas besoin
de demander à tout bout de champ à sa maman
ce qu'elle a à faire ou à ne pas faire.
Elle le sait.
C'est comme une loi écrite dans son cœur.
À force de vivre avec sa mère,
elle l'a appris tout naturellement.

L'autre jour,
Cathy a vérifié cela bien clairement.
En ouvrant la porte du réfrigérateur
pour prendre son yogourt d'après-l'école,
Cathy a vu une pointe de tarte au citron
garnie d'une épaisse mousse de crème.
La tentation fut grande
de troquer le yogourt pour la tarte à la crème.
Mais Cathy savait d'instinct
ce que maman lui aurait dit
si elle lui en avait parlé.

Alors Cathy, bien sagement,
a mangé son yogourt avec appétit.

Mathieu

Mathieu a des principes.
Il s'est donné des lois
pour son alimentation, son sommeil,
son travail, ses exercices...
Bref, sa vie est réglementée presque à chaque minute:
elle est jalonnée
de choses à faire et à ne pas faire;
elle est truffée
d'ordres et de défenses.

Si par malheur il rate son jogging un matin,
il est mal le reste de la journée.
Si le fromage contient du cholestérol,
il n'y touche même pas.
S'il y a une cigarette allumée au meeting,

il fait un boucan de tous les diables
pour qu'on l'éteigne.

Mathieu est en train de se rendre malade
à vouloir être en santé.
Il est trop rigide
pour lui et pour les autres.
Il manque de tolérance envers lui-même,
ce qui le porte à en manquer envers les autres.
Il souffre de perfectionnisme
et il est trop à cheval sur les principes.

Marie-Lou et Jean-Pi

Marie-Lou et Jean-Pi ne manquent pas de «personnalité».
Ils s'habillent de façon «non conformiste»,
leur maison est décorée avec beaucoup d'«originalité»,
leurs enfants sont élevés sans aucune contrainte:
il ne faut pas brimer leur liberté.

À la maison,
c'est le «barda» perpétuel:
la table est toujours mise
parce que chacun mange quand il veut;
la radio «enterre» régulièrement la télé,
c'est une lutte à finir pour savoir
laquelle l'emportera sur l'autre.
Tout traîne un peu partout:
les souliers de Marie-Lou sont sous la table de la cuisine,
ceux de Jean-Pi près de la porte du boudoir,
ceux de la plus grande près du sofa du salon,
et ceux du petit dernier dans la salle de toilette.
La vaisselle s'accumule dans l'évier,
le linge s'empile sur les divans, les chaises, les tables...
Quand il s'agit de sortir à l'extérieur,
c'est à une véritable course au trésor
que chacun se livre
pour trouver la tuque de l'un,
l'écharpe de l'autre,
les mitaines du petit,
les gants de la plus grande.

S'il y a de l'ordre dans cette maison,
il n'est pas visible à l'œil nu.

S'il y a de la discipline dans cette famille,
elle est bien camouflée.
Par contre, l'imagination règne en maître,
la créativité se déploie largement,
personne n'est «étouffé» par des lois ou des règlements.
L'environnement familial est un peu
comme une jungle où tout pousse avec vigueur
d'une manière sauvage.
Ce n'est pas un jardin français
ni même anglais.

On n'a pas à juger les théories éducatives
de Marie-Lou et de Jean-Pi.
N'empêche qu'un peu plus d'ordre
ne ferait sans doute de tort à personne!

Mara-la-dure

Le Centre Jean-Joie ne porte pas tellement bien son nom.
À vrai dire, c'est une maison bien triste.
À l'origine, elle était destinée
à accueillir des jeunes délinquantes
désireuses de se réhabiliter.
Au début, tout allait bien:
on y pratiquait avec succès et enthousiasme
des méthodes basées sur le respect de la personne,
sur la capacité de chacune de se prendre progressivement en charge,
sur la confiance réciproque.
Éducatrices et éduquées marchaient la main dans la main
et tout le monde grandissait bien.

Mais voilà qu'un bon matin
arriva dans le décor Mara-la-pure,
comme elle aimait à se faire nommer,
mais aussi Mara-la-dure,
comme chacune ne tarda pas à l'appeler dans le milieu.
Mara avait des méthodes et des principes bien à elle:
à son avis, rien ne valait la manière dure et ferme.
Si tu arrives en retard au repas,
tu sautes ton repas.
Si tu ne te lèves pas à temps,
tu sautes une récréation.
Si tu critiques l'«administration»,
tu perds un congé.

De plus, Mara ne se gênait pas
pour dire aux pensionnaires
ce qu'elle pensait d'elles;
elle n'était pas loin de les mépriser,
elle n'avait aucun respect pour ces «graines de criminelles».

Les filles ne tardèrent pas
à «prendre son numéro».
Quand elle était à son travail,
elles ne lui parlaient pas,
elles épiaient ses moindres gestes,
elles étaient sur leurs gardes.
Elles n'étaient pas loin de penser
que Mara les traitait comme des fauves en cage.
Elles sentaient qu'elle ne les aimait pas
et elles le lui rendaient bien.

Depuis l'arrivée de Mara-la-dure,
personne n'est bien dans cette «boîte».
Même les autres éducatrices sont mal à l'aise
et ne savent plus sur quel pied danser.
Car il faut dire que Mara impose ses méthodes
à tout le monde.
Mara-la-dure est très fière d'elle:
tout le monde lui obéit au doigt et même à l'œil.
Pourtant personne ne grandit à Jean-Joie.
Mara n'est pas une bonne éducatrice.
Mara est plutôt une marâtre!
Comme c'est dommage!
On était si bien avant!

Le juge Légis

Le juge Légis siège régulièrement
au Palais de Justice de sa ville.
Il possède une vaste expérience de la magistrature
et il est en plus fort respecté
de ses confrères, des avocats qui plaident devant lui
et même des contrevenants traduits devant lui,
qui le trouvent «juste et correct».

N'empêche que, bien des soirs,
quand il repasse sa journée de travail,

il lui reste bien des problèmes non résolus
et parfois il se retrouve avec, au creux de sa conscience,
des questions qui ne le laissent pas jusqu'à son sommeil.
Ainsi, récemment, il a eu à prononcer
la sentence prévue au Code criminel
pour un délit bien précis,
mais dans son for intérieur
il était convaincu que l'inculpé méritait beaucoup moins:
cela lui fait toujours mal
d'avoir à appliquer une sentence à la lettre.
De même, il est toujours tiraillé
entre la sentence qu'il doit imposer
pour protéger la société
et celle qui serait particulièrement équitable
dans tel cas particulier.
Et puis quand il y a divergence entre son opinion personnelle
et le verdict du jury
et qu'il doit inéluctablement rendre jugement
à partir des conclusions des jurés,
il se livre une belle bataille dans son cœur.
Il y a aussi les cas où il se trouve confronté
à un conflit entre deux lois apparemment contradictoires
dans la même cause...
Dieu! que ce n'est pas facile d'être juge!
Et pourtant il en faut bien!

Ovide

Ovide a toujours eu pour son dire:
«Pas vu, pas pris!...
La meilleure loi, c'est la loi du plus fin!»
C'est d'ailleurs ce qu'il a toujours vécu dans sa famille:
le plus intelligent était le plus rusé
et le plus rusé était le plus futé!
Ovide s'est habitué peu à peu
à faire toutes sortes de «passes»
en développant l'art de ne pas se faire prendre.
Au début, c'était des «petites choses»:
une barre de chocolat chez le dépanneur,
une paire de gants au magasin de sports,
un feu rouge brûlé,
une vitesse excessive...

Avec le temps, les «petites choses» se mirent à grossir:
vols par effraction,
vols qualifiés aux caisses des stations d'essence,
conduite en état d'ébriété,
délits de fuite...
Un jour, comme il fallait s'y attendre,
il se fit «prendre».

Aujourd'hui, il est en «tôle».
Il réfléchit:
il «paie à la société le mal qu'il lui a fait»,
comme il dit.
Il découvre que, même s'il y a beaucoup de lois
et que certaines pourraient être améliorées,
comme toute loi humaine,
elles ne sont pas là pour rien
et que ce n'est pas faire preuve de faiblesse
que de les observer
mais que c'est nécessaire au bien de tous.

Il faut être à la fois courageux et lucide pour demander une réflexion sur la loi et les jeunes. En effet, parler de la loi en éducation reste toujours un sujet délicat et difficile, quoique bien important. Et la loi, à cause de son caractère souvent coercitif, n'est jamais bien populaire.

Pourtant, nous le savons, la loi occupe une place importante dans nos vies et dans nos sociétés; et il ne semble pas que cette place soit appelée à diminuer, au contraire. Le législateur légifère de plus en plus et dans tous les secteurs. Force nous est d'admettre que lois et règlements régissent nos existences plus que jamais, qui que nous soyons et dans quelque secteur que nous œuvrions. De toute façon, les jeunes se trouvent confrontés à la loi quotidiennement et de diverses manières. Cette confrontation peut devenir plus apparente à l'occasion de la crise de l'adolescence. Cette crise, on le sait, est caractérisée, entre autres choses, par un sentiment d'indépendance face à tout ce qui apparaît comme contraignant et restreignant la liberté. La loi peut en effet paraître restreindre les libertés, surtout si l'on examine ses effets sur la seule base des libertés individuelles plutôt que sous l'angle des libertés collectives.

Je traiterai ici de la loi *naturelle* et *divine* ainsi que des lois humaines et j'essaierai d'en tirer quelques conséquences pour l'éducation des jeunes.

Projet de causerie aux Surintendants et Surintendantes de l'Association des Conseils scolaires d'Ontario.

Les lois

La loi naturelle

La loi naturelle, c'est celle qui, comme on dit, est inscrite dans notre cœur. Elle correspond à ce qu'il y a de plus profond dans notre conscience: elle nous éclaire sur ce qu'il y a à faire, à dire ou à être, aussi bien dans telle ou telle circonstance que dans l'ensemble de notre vie. Elle se résume assez adéquatement par la double expression: *faire le bien et éviter le mal.*

Dans les situations courantes de la vie, nous n'avons ordinairement pas trop de difficulté à discerner ce qui est bien et ce qui est mal. L'éducation familiale, l'exemple des parents, les messages reçus du milieu dans lequel nous vivons, façonnent peu à peu notre conscience. C'est ainsi que nous savons qu'il est bien de dire la vérité et mal de mentir, qu'il est bien de parler positivement des autres et mal de les juger et de les condamner, qu'il est bien de respecter la propriété privée et mal de voler le bien d'autrui, etc.

Mais nous constatons également qu'il est parfois bien difficile de distinguer entre le bien et le mal. Il existe des situations dans lesquelles les actes à poser se situent à la frontière du bien et du mal, de sorte que nous demeurons perplexes sur ce qui est correct et ce qui ne l'est pas: par exemple la délation en vue d'un plus grand bien, le recours à certaines formes de violence en certaines circonstances, etc. Les développements de la science et de la technologie posent de nouvelles interrogations à notre conscience: on n'a qu'à penser aux questions relatives à l'embryologie, à l'euthanasie, à la stérilisation de certaines personnes, etc. De plus, les moyens modernes de communication (les journaux, la télévision, la radio mais aussi les films, les livres, etc.), s'ils forment notre conscience, peuvent aussi la transformer et même parfois la déformer: on s'aperçoit que des gens vivent heureux en faisant des choses ou en vivant des situations qui ne nous semblent pas «naturellement correctes» (par exemple tous les moyens sont bons pour faire de l'argent, etc.). Le doute risque alors de s'installer en nous et de provoquer des remises en question de nos notions traditionnelles du bien et du mal. De même, les coutumes et les habitudes de vie changent sous nos yeux, les traditions s'émoussent, notre environnement nous envoie des messages qui eux aussi questionnent notre sens du bien et du mal.

La nouveauté des situations, les questions posées par les découvertes modernes, les changements dans les comportements et les échelles de valeurs des gens, les messages lancés par nos milieux de vie comme ceux venant d'autres pays, d'autres cultures, d'autres coutumes et traditions, tout cela nous amène à chercher toujours davantage une réponse précise à la question qui remonte sans cesse du plus profond de notre cœur: «Est-ce bien ou est-ce mal?»

C'est pourquoi, pour nous chrétiens tout particulièrement, la loi naturelle a cherché des assises solides dans la loi divine et des explicitations dans les lois de l'Église. C'est pourquoi également les humains ont toujours cherché à expliciter la loi naturelle en se donnant des lois qui régissent leurs comportements collectifs et même individuels.

La loi divine

Dieu, dans sa bonté, nous a donné sa loi. Si nous parcourons la Bible, nous nous apercevons qu'à diverses reprises le Seigneur dicte aux humains des lois sur le bien à faire et sur le mal à éviter. Cela va des premières pages de la Genèse (préceptes à Adam et Ève), en passant par le Décalogue donné à Moïse *(Exode 20, 1-18)* jusqu'aux nombreux préceptes formulés par Jésus lui-même, qu'on retrouve par exemple aux chapitres 5-6-7 de l'évangile de Matthieu.

Pourquoi le Seigneur a-t-il formulé une loi destinée aux humains? D'abord sans doute pour expliciter la loi naturelle qu'il avait inscrite au fond de leur cœur et qu'ils avaient bien souvent du mal à suivre mais aussi à connaître vraiment. Mais surtout parce que le Seigneur veut notre bonheur. La loi divine, en effet, dans la pensée du Seigneur, n'est pas d'abord contrainte ou entrave à la liberté. Elle est avant tout chemin de croissance, chemin de vie, chemin de bonheur: c'est parce que le Seigneur nous aime vraiment qu'il nous enseigne les chemins de la vraie vie et du vrai bonheur. C'est sans doute en ce sens que les Béatitudes nous ont été données. C'est sans doute également en ce sens que le plus long psaume de la Bible *(Psaume 119)* chante à chacun des versets les bienfaits de la loi du Seigneur.

Un exemple tiré de la vie familiale peut peut-être nous aider à comprendre l'intention profonde de Dieu législateur. J'ai un petit neveu de cinq ans qui est plein de vie et qui, comme bien des enfants, n'est pas toujours conscient du «mal» qu'il peut faire dans certaines situations. Ainsi quand il revient de jouer dehors, il ne s'essuie pas les pieds sur le paillasson et il laisse des traces sur le plancher de la cuisine: c'est maman qui doit nettoyer tout cela par la suite. En plus, il claque la porte chaque fois qu'il entre dans la maison, ce qui fait sursauter maman à tout coup. Un bon soir, ses parents se sont assis avec lui sur le sofa du salon. Parce qu'ils l'aiment et qu'ils veulent son bien, ils lui ont donné tranquillement mais clairement deux «lois»: tu t'essuieras les pieds en entrant dans la maison et tu fermeras la porte doucement.

Le Seigneur nous aime, il veut notre bonheur. Mais il nous arrive parfois de ne pas connaître clairement les chemins de notre bonheur. Le Seigneur, dans sa bonté et dans sa sagesse, nous dicte des lois de vie et de bonheur. C'est en ce sens que le psalmiste chante: «Heureuses les personnes qui ne suivent pas les conseils des gens sans foi ni loi... Ce qu'elles aiment, c'est la loi du Seigneur, qu'elles méditent jour et nuit» *(Psaume 1, 1-2).*

Si nous saisissions suffisamment cette intention du divin législateur, nous aurions sans doute plus de facilité à suivre ses lois.

Les lois de l'Église

L'Église, fidèle à la mission qu'elle a reçue du Christ, a le pouvoir et même le devoir de formuler des lois. Elle le fait, entre autres, par son Code de droit canonique. Ce Code contient un grand nombre de prescriptions concernant la vie interne de l'Église: sa vie de prière (la liturgie), la vie des diocèses et des paroisses, la vie du clergé, la vie des fidèles en général.

L'Église, comme le rappelait Jean XXIII dans une encyclique, se présente aux humains, et plus particulièrement aux chrétiens, comme une Mère et comme une Éducatrice *(Ecclesia, Mater et Magistra).* C'est dans ce double esprit que nous sommes invités à comprendre et à mettre en pratique les lois de l'Église. Elle n'agit donc pas pour le plaisir de restreindre notre liberté ou de nous culpabiliser. Elle agit ainsi parce qu'elle nous aime comme une bonne mère et qu'elle veut, comme toute bonne éducatrice, que nous grandissions dans le bien. En bout de ligne, à l'instar de Dieu lui-même, l'Église trace des chemins pour notre propre bonheur.

Les lois de la société

Les lois de la société sont établies en vue du bien des individus, mais surtout en vue du bien commun. Au Québec, par exemple, à la base, le Code civil cherche à promouvoir le bon ordre dans la société alors que le Code criminel détermine et sanctionne ce qui est désordre dans cette même société. Ces Codes, qui pendant des années ont fait la loi, sont aujourd'hui supportés et complétés par des centaines de lois et de règlements qui régissent et contrôlent tous les aspects de notre vie en société.

En fait, nous sommes constamment soumis à une multitude de lois et règlements qui, par exemple, concernent la conduite des véhicules (vitesse limitée, feux de circulation, alcool au volant, etc.), l'usage des feux en forêt et sur les terrains urbains, le respect de la personne (Charte sur les droits de la personne, infractions décrites au Code criminel: voies de fait, viol, meurtre, libelle diffamatoire, etc.), le respect de la propriété (encore des infractions décrites au Code criminel: méfait, vol, incendie criminel, etc.), le droit à des conditions de travail minimales (loi sur les normes du travail, etc.) et quoi encore?

Les lois humaines ne sont pas que dans les Codes civil, criminel et pénal, et elles ne se limitent pas à celles adoptées par le législateur fédéral ou provincial. Elles prennent le nom de règlements municipaux dans nos villes, et de règlements tout court dans les institutions scolaires (horaires de cours, assiduité aux cours, usage de la cigarette, interdiction de drogues, etc.), dans les institutions hospitalières (heures des visites, code de déontologie, réglementation syndicale, etc.), dans les institutions carcérales (programme des activités, horaire de fréquentation de la bibliothèque, des salles de jeu, de la cantine, des visites, etc.). On les retrouve dans tous les secteurs de l'activité humaine: la famille a ses lois internes, le milieu de travail possède un code de fonctionnement en ce qui concerne le droit à la syndicalisation et tout ce qui gravite autour de ce droit, les centres de loisirs ont des règlements, etc.

Ces lois et règlements ne sont pas que contraintes, ils visent avant tout le bien-être et le bien-vivre des personnes et la recherche du bien commun. C'est pourquoi ils ont à la fois un caractère *évolutif*, c'est-à-dire qu'ils changent et s'efforcent de s'ajuster à la conjoncture qui elle aussi change avec le temps, et un caractère *relatif*, c'est-à-dire que non seulement ils sont soumis au changement mais aussi à nos limites, hélas trop réelles, pour les formuler adéquatement.

Perspectives éducatives

Il n'est pas facile d'éduquer à une bonne compréhension et à une bonne pratique de la loi, tellement elle nous apparaît comme contraignante et comme restrictive de notre liberté. Et pourtant, comme nous l'avons vu, une éducation digne de ce nom ne peut ignorer cet apprentissage important pour la croissance des personnes et pour le bien commun des sociétés.

Voici trois pistes de réflexion: la première fait une projection sur le 21e siècle, la seconde développe un apprentissage à partir de certaines maladies de la loi, et la troisième tente de dégager des perspectives éducatives humaines et chrétiennes.

Au 21e siècle?

Les lois ne seront pas absentes au 21e siècle, c'est sûr. En fait, les lois ne cessent de se multiplier et rien n'indique que cela va changer. La loi naturelle et la loi divine vont demeurer certainement. Les lois de l'Église seront là elles aussi. Mais jusqu'où et comment seront-elles observées?

Pourquoi cette interrogation? C'est que l'on remarque que certaines lois civiles et criminelles prennent plus ou moins leurs distances face aux lois naturelle et divine ainsi qu'ecclésiales. Elles sont de plus en plus établies à partir d'un consensus social qui se dissocie ou s'éloigne de ces dernières et parfois les remet en question. Par exemple: la loi divine qui interdit de tuer s'applique-t-elle quand il s'agit d'euthanasie? La loi de l'Église dit oui, la loi civile de certains États dit non.

D'où vient cet hiatus entre les intentions divine et ecclésiale d'une part et certaines interventions légales des humains d'autre part? Il vient notamment du fait que nous vivons de plus en plus dans des sociétés que l'on dit pluralistes et sécularisées. Ces sociétés se caractérisent par une très grande variété d'opinions et de comportements (le pluralisme) sur des questions données, par exemple le mariage, la vie sexuelle, le début et la fin de la vie humaine, etc. Elles se caractérisent également par le fait que le point de référence pour établir les lois n'est pas prioritairement d'origine divine, religieuse ou ecclésiale, il est «séculier», c'est-à-dire qu'il s'inspire des opinions, des habitudes et des valeurs des gens vivant dans le «siècle», dans le monde.

Quand nous vivions en «chrétienté», comme disent les sociologues, le point de référence était plus souvent qu'autrement ecclésial, divin, ou tout au moins religieux. En «après-chrétienté» ou, si l'on aime mieux, dans un monde pluraliste et séculier, il n'en va pas ainsi. Du moins pas toujours. On devine aisément toutes les conséquences qu'une telle constatation entraîne en éducation, surtout si l'on se trouve dans un système scolaire (ou familial) qui cherche à promouvoir les valeurs chrétiennes ou qui gère des écoles confessionnelles catholiques.

Dans un autre ordre d'idées, il ne semble pas exagéré de dire que nos sociétés seront de plus en plus «policées» parce qu'elles seront de plus en plus criminalisées. Il apparaît que le crime augmente avec l'urbanisation, surtout la macro-urbanisation. Nous ne sommes plus en civilisation rurale; nous sommes et nous serons de plus en plus en civilisation urbaine et macro-urbaine. Il y a actuellement dans le monde vingt-deux villes de plus de deux millions d'habitants; les projections des démographes nous disent qu'en l'an 2020 il y en aura quatre-vingt-dix-huit. Cette augmentation est due non seulement à la progression démographique de la planète, mais également à l'exode rural vers la ville.

En civilisation rurale ou micro-urbaine, la confiance règne a priori: on ouvre sa porte à quiconque frappe, souvent on ne verrouille même pas sa porte la nuit, on sort sans crainte le soir ou encore la nuit, on laisse la porte de sa voiture débarrée pendant qu'on fait du magasinage, on fait monter sans problème dans sa voiture le «pouceux» du bord de route... Allez aujourd'hui vivre à New York, Toronto ou Montréal sans portes verrouillées le soir, la nuit et même le jour! Sortez seuls le soir ou à minuit dans certains quartiers de Philadelphie, de Détroit ou de Miami!

Il est évident que de telles constatations ont leurs répercussions sur l'éducation de la jeunesse au respect de la loi!

Les maladies de la loi

S'il n'y a pas de lois, c'est l'anarchie totale. S'il n'y a que la loi pour la loi, c'est le légalisme ou le pharisaïsme, ce qui n'est guère mieux. Toutes ces maladies sont finalement des maladies mortelles.

Le pharisaïsme

Le pharisaïsme a été bien décrit et bien décrié par le Christ lui-même. C'est cette déviation qui consiste à observer la loi pour être vu des gens ou encore à l'enseigner en ayant l'air de la pratiquer sans le faire vraiment. Certains pharisiens, comme le note Matthieu au chapitre sixième de son évangile, jeûnaient, faisaient l'aumône et priaient pour le «paraître», pour leur «image». Ces pharisiens, car tous n'agissaient pas ainsi, risquaient alors de tomber dans la vanité, la superficialité de la pratique religieuse et à la limite dans l'orgueil et l'hypocrisie. Ils étaient menacés de manquer de cohérence (identité entre le dire, le faire et l'être) et d'authenticité.

Il faut dire qu'aujourd'hui le pharisaïsme n'est pas courant, surtout chez les jeunes. Il reste que nous pouvons en tirer un enseignement pour l'éducation: nous sommes appelés à dépasser l'apparence pour agir avec notre cœur. Observer les lois, soit, mais non pas «pour la galerie», mais plutôt avec des sentiments intérieurs. Ne pas obéir non plus exclusivement aux lois qui ont des effets «visibles», mais aller jusqu'au fond du cœur: Jésus disait de ne pas tuer, mais il demandait également de ne pas désirer la mort de quelqu'un... Si la distance est trop grande entre notre «apparence» et les pensées de notre cœur, ne risquons-nous pas nous aussi de verser dans l'incohérence et l'inauthenticité? Nous sommes tous invités à dépasser la conduite simplement «correcte» pour nous orienter de plus en plus vers un amour véritable qui part du cœur et retourne au cœur.

Le légalisme

Le légalisme, c'est l'amour de la loi pour la loi. La loi devient une fin en soi. Pour le législateur, c'est le «law and order». Pour l'observateur de la loi, c'est souvent à une attitude minimaliste que cette maladie renvoie: il se réfugie derrière la lettre de la loi, fait ce que la loi ordonne de faire, rien de plus rien de moins. Cette attitude s'exprime parfois de manière négative: «Je ne vole pas, je ne me drogue pas, je ne tue pas...» L'un et l'autre considèrent alors la loi comme une fin en soi et non pas comme un moyen.

En éducation, cette maladie doit être soignée. La loi n'est pas là pour le simple plaisir du législateur ou pour brimer notre liberté. Elle ne cherche pas d'abord à être tyrannique ou dictatoriale. Elle est là pour le bien de chacun et de tous. Elle est là, somme toute, pour être dépassée: une attitude minimaliste ou négative face à la loi n'a rien de dynamique. On devrait toujours aller plus loin qu'elle...

L'anarchie

L'anarchie, c'est l'absence totale de lois. C'est le «chacun pour soi». C'est «je fais ce que je veux, tu fais ce que tu veux...» C'est le subjectivisme parfait, c'est la liberté excessive, qui aboutissent finalement au caprice, à l'égoïsme, à la licence. Elle ne libère pas la personne, elle l'emprisonne et la rend esclave.

Il faut se souvenir que le droit de l'un s'arrête où commence le droit de l'autre. Ceci vaut pour les individus mais aussi pour les sociétés. Il faut également se souvenir que la personne humaine n'est pas destinée à être un robot ou un automate qui obéirait aux lois d'une manière programmée d'avance et une fois pour toutes; elle est destinée à être libre et responsable. C'est pourquoi la loi est au service des personnes et non l'inverse. Le législateur a récemment sanctionné cette grande vérité par l'adoption récente de grandes «Chartes», lesquelles reconnaissent les «grandes règles de la justice naturelle». Supprimer toutes les lois sous prétexte qu'elles briment la personne, ce ne serait pas accéder à la liberté responsable mais plutôt aboutir à l'anarchie. La véritable éducation ne supprime pas les lois, mais forme à la liberté responsable dans la fabrication des lois et dans l'observance des lois.

Le plan humain et le plan chrétien

Il peut arriver que certaines lois abusent des personnes et des groupes humains. Mais, s'il faut les dénoncer avec la dernière des énergies, il faut aussi former au vrai sens de la loi.

Il est vital que les jeunes apprennent à obéir à la loi, mais de manière libre et responsable. Qu'on leur enseigne à ne pas sombrer dans l'anarchie ni dans le pharisaïsme ou le légalisme. Qu'à cet effet on leur apprenne à écouter la loi de leur cœur, à travailler en tout au bien des personnes et à servir le bien commun.

Que les éduqués et leurs éducateurs découvrent de plus en plus que la loi divine est une pédagogie du bonheur, une route de sagesse, un code de vie et non de mort. Qu'ils s'appliquent à découvrir que la loi de l'Église est là pour s'inscrire dans le sillage de la loi de Dieu. Qu'ils s'habituent à écouter la loi naturelle inscrite au creux de leur conscience.

Qu'ils soient fidèles à observer les lois humaines d'une façon générale et habituelle. Mais qu'ils s'exercent également à discerner les cas où ces lois humaines pourraient se situer en marge de la loi divine ou en contradiction avec elle. Dans ces derniers cas tout particulièrement, qu'ils s'habituent à distinguer entre le délit et le délinquant, entre le péché et le pécheur, comme l'Évangile l'enseigne et comme Jésus le pratiquait si bien. C'est une chose de condamner l'homicide, c'en est une autre de condamner les personnes impliquées dans un meurtre; c'est une chose de ne pas approuver le vol, c'en est une autre de rejeter les personnes qui volent; etc.

Conclusion

L'éducation à la loi (signification, observance, distinction entre lois divine, naturelle, ecclésiales, et lois humaines, civiles ou criminelles, scolaires, familiales, urbaines, etc.) est importante. Elle requiert une transmission de connaissances adéquates. Elle nécessite surtout un apprentissage constant tant au niveau du discernement à opérer dans l'application des lois et dans leur observance qu'au niveau de la discipline nécessaire à acquérir.

C'est un défi aussi nécessaire que vital.

10 En écoutant les arbres

«Le juste
est comme un arbre
planté au bord d'un ruisseau:
il donne son fruit en son temps
et son feuillage est toujours vert.»

Psaume 1, 3

Nathalie, Paul et leurs enfants

Nathalie et Paul sont allés faire une balade
dans le parc du Mont St-Bruno.
Un bel après-midi d'automne.
Avec Christine et Stéphane, leurs jeunes enfants.

Quel plaisir de marcher sur le tapis des feuilles tombées,
c'est comme sur du velours!
Quelle joie de cueillir ça et là
de belles feuilles que l'automne a colorées
de sa palette de grand artiste!

Après une bonne heure de marche,
ils ont pique-niqué sur les bords du Lac des Bouleaux.
Le lac, aussi lisse qu'un miroir,
reflétait bellement les épinettes et les pruches
qui s'inclinaient galamment jusqu'à toucher son eau
pour le saluer et le remercier
de leur renvoyer une si belle image.

Au retour,
ils ont emprunté le large sentier qui mène au collège.
Ils ont admiré les grands arbres
qui bordent le chemin comme des sentinelles bienveillantes:
chênes puissants à l'écorce rude,
hêtres clairs à la peau si douce,
pins solides à l'enveloppe si épaisse,
géants qui ont pied profond dans la terre
et tête bien haute dans le ciel.

Quel bel après-midi!
Comme on est bien au cœur de la nature,
au milieu de ces beautés
que notre mère la terre nous donne avec tant de bonté!

Christine

Christine s'est levée de bon matin.
Presque à la même heure que le soleil.
Elle a enfilé son survêtement
et s'est glissée doucement dans le canot
qui l'attendait au bord du ruisseau.

Au milieu d'une épaisse brume
qui monte silencieusement de l'onde,
Christine avance doucement sur l'eau.
Elle n'en finit pas de se rassasier
de tout ce qu'elle voit et entend.

Elle traverse un îlot de joncs
parsemé de nénuphars qui déjà s'étirent au soleil
en faisant de l'œil aux grandes quenouilles
qui les regardent distraitement.
Là-bas un colibri est à l'œuvre:
battant de l'aile à toute allure,
il fait du sur-place
en vrillant de son bec effilé
la corolle d'une rose sauvage.
Tiens, voilà une petite famille de canards:
le papa, la maman, et les cinq petits
qui apprennent à se débrouiller dans la vie.

Christine se trouve maintenant
juste en dessous des grands saules
qui bordent les deux côtés du ruisseau.
Ils sont si hauts et si larges
qu'ils forment une voûte sous son passage.
Le soleil qui monte à l'horizon
joue à cache-cache avec l'ombre qui se faufile
à travers les feuilles et les branches des grands arbres;
la brume qui se dissipe lentement de l'onde
réverbère la lumière solaire en un arc-en-ciel
qui dépose des milliers de gouttelettes multicolores
sur les fleurs et les feuilles de la rive.

Christine prend un bain de beauté
que la nature lui offre gratuitement,
juste pour son plaisir.
Elle prend aussi une leçon de choses
bien utile pour sa vie.
Christine commence bien sa journée.
Et son cœur, qui fredonne de beaux airs,
appareille pour le bonheur.

Mon grand-père

Mon grand-père était un homme solide.
Comme un chêne.
Il se levait tôt
et planifiait sa journée de cultivateur.
Il était en contact quotidien avec la nature:
la terre, les champs, le ruisseau...
le mil, le trèfle, l'avoine, le blé, l'orge...
les chevaux, les chiens et les chats,
les vaches et les cochons, les mulots aussi...
Dès le début du printemps,
il chassait le rat musqué et le vison.
Le travail ne lui a jamais fait peur.
Il avait une grosse famille: treize enfants
et une multitude de petits-enfants.
C'était un homme qui aimait la vie,
un bon vivant.

Tous étaient bien avec lui:
ils se sentaient en sécurité.
Comme à l'ombre d'un grand arbre,
appuyés sur son tronc
et à l'abri des intempéries.
Il était à la fois plein de tendresse et d'autorité:
il pouvait déployer beaucoup d'efforts
pour faire plaisir à ses petits-enfants,
mais quand il avait décidé quelque chose,
rien ni personne ne pouvait l'arrêter.
Comme un grand chêne
qui se fait tout tendre
pour donner de l'ombre aux personnes fatiguées,
mais qui se fait toute force
quand le grand vent s'empare de sa tête.

La vie qui coulait dans les veines de mon aïeul
était généreuse et magnifique.
Il avait pied solide et tête superbe,
cœur tendre et bras puissants.

Comme un grand chêne,
il avait racines profondes
plantées dans la terre de ses convictions et de sa foi,
tronc élancé et fort,
nourri à même ses labeurs et ses amours,
feuillage abondant et riche,
fruit mérité de sa justice et de son honnêteté.

Mon grand-père,
quel arbre magnifique!

Les boisés

C'était à cette époque merveilleuse de l'année
où le printemps vient à peine d'ouvrir ses portes
à la nature.
Je décidai d'aller me payer un bain de nature
dans un parc des environs de la ville,
nommé joliment Les Boisés.
Pendant deux bonnes heures,
je marchai dans les sentiers parfumés du sous-bois.
Les fougères sortaient à peine de terre
mais déjà me chantaient l'hymne du printemps
de leurs queues de violon vert clair.
Les bouleaux et les trembles faisaient déjà
frétiller de joie leurs feuilles vert tendre
tandis que les pins et les épinettes
avaient lustré leurs aiguilles qui reluisaient au soleil
de toute la richesse de leur vert sombre.
Les chênes n'en étaient encore
qu'à fabriquer leurs bourgeons
avec la lenteur et l'assurance
des gens qui ont longue vie devant eux.
Les érables tenaient suspendues à leurs longs bras
de petites grappes toutes pleines de vie
qu'ils ne tarderaient pas à lancer ici et là
pour se perpétuer dans la forêt.
Tout le bois chantait en polyphonie
sa joie de vivre
et de savourer les délices du printemps.

Mais ce qui me fascina le plus,
c'est le spectacle qui s'offrit à moi
quand je sortis du bois.
Une jeune monitrice du parc offrait
aux visiteurs, surtout aux enfants,
un petit pot de terre où était planté un jeune pin.
«Je te le donne,
si tu me promets de le planter en terre
et surtout de t'en occuper.»
Je n'ai pas vu un seul enfant en refuser.
Cette jeune fille savait,
j'en suis sûr,
les merveilleuses leçons de vie
que ce cadeau allait enseigner
à ces enfants.

Donner une plante à quelqu'un,
c'est fournir une occasion de grandir,
non seulement à la plante,
mais aussi à l'heureux bénéficiaire.

Je voudrais dire tout de suite que je crois fermement qu'il y a en tout être humain un éducateur qui sommeille et un planteur d'arbres qui dort. Il suffirait de les réveiller un peu pour qu'ils se mettent à faire de petites merveilles. Les arbres sont de grands maîtres: à les regarder, les observer et les contempler, à les écouter et les aimer, ils nous apprennent tant de choses utiles pour la conduite de la vie, pour la croissance, pour l'éducation... la nôtre et celle des nôtres, que ce serait grande perte et pure folie que de ne pas les laisser nous enseigner!

L'autre jour, nous avons eu la joie de voir à la télévision le très beau film de Frédéric Back, *L'homme qui plantait des arbres*. Ce film contient plus d'un message: il nous enseigne d'une manière poétique le respect de la nature, mais il déploie aussi sous nos yeux la force extraordinaire et la fascination silencieuse des arbres. Ce n'est pas sans un pincement au cœur que ce film m'a rappelé ma propre expérience de jardinier et de planteur d'arbres. Quand je revenais de mon travail à la fin de l'après-midi, rien ne me réjouissait plus le cœur que d'enfiler mes jeans et de me retrouver «à quatre pattes» dans mes plates-bandes pour sarcler mes radis ou ma laitue, pour transplanter mes œillets ou mes zinnias, ou encore sous mes épinettes pour nettoyer les pieds de ces pures beautés.

Conférence donnée aux conseillers en éducation chrétienne de Valleyfield (Qc).

Plus les plantes devenaient mes amies, plus je constatais qu'elles m'apprenaient des choses importantes pour ma vie. Mes arbres surtout, du haut de leur muette grandeur et du plus profond de leur géante vie, m'ont livré quelques-uns de leurs plus beaux secrets. Rien qu'à les regarder, à les écouter, à les aider à grandir, à les aimer!

Permettez-moi de partager quelques-uns de ces secrets avec vous.

L'arbre et la croissance

Nous savons depuis belle lurette qu'éduquer, c'est aider à grandir. À cet égard, les arbres ne diffèrent guère des humains. Les uns et les autres ont besoin d'éducateurs pour grandir en beauté, en force et en sagesse. Les éducateurs des arbres s'appellent les jardiniers; quant à ceux qui aident les humains à grandir, on les appelle justement des éducateurs. Dans un cas comme dans l'autre, ce sont des agents de croissance.

Les humains sont comme les arbres. À bien des points de vue. Ils ont leurs saisons: le printemps de l'adolescence et de la jeunesse, l'été de la force de l'âge, l'automne de l'âge mûr, l'hiver de l'âge avancé. Il faut dire que parfois les humains traversent toutes les saisons en une année, en un mois même, et encore parfois en une seule journée!

Les humains sont comme les arbres. Ils ont leurs rythmes de croissance. Le printemps, par exemple, est caractérisé par une effervescence de vie, une poussée de sève, un enthousiasme pour le neuf. N'est-ce pas également le propre de l'adolescence et de la jeunesse?

Les arbres nous apprennent à respecter les saisons et les rythmes de croissance des humains. Il ne sert à rien de tirer sur la tête d'un jeune sapin pour le faire pousser plus vite. Il n'est pas bon d'engraisser la terre à la mauvaise saison. Il ne faut pas tailler les pruniers à l'automne. Il faut accepter les latences et les «dormances» apparentes, même ce qui a l'air parfois de reculs et de régressions. Il faut également reconnaître les poussées de croissance.

Et surtout, il faut aimer. Vous le dirais-je, je crois bien que mes plantes poussaient mieux quand je les regardais, quand je les contemplais, quand je prenais du temps pour leur parler, pour leur dire que je les trouvais belles et bonnes, que j'étais content de les voir grandir si gaillardement? Prenons-nous du temps pour encourager, stimuler, reconnaître ce que nos jeunes font de bon, pour leur dire simplement que c'est beau ce qu'ils sont en train de bâtir dans leur être et par leur projet de vie? Prenons-nous le temps de les aimer vraiment et de le leur faire savoir... de mille et une façons?

Un éducateur, qu'il soit jardinier ou enseignant, prête une attention spéciale à l'environnement dans lequel grandissent les personnes qui lui sont confiées. Le climat, l'air, la lumière, le sous-sol, autant de facteurs extrêmement importants pour grandir en beauté et en force. Mes bégonias poussaient bien à l'ombre, mais c'était une pitié de les voir au soleil: ils séchaient par excès de lumière et de chaleur. Par contre mes tournesols n'avaient jamais trop de soleil; à l'ombre, ils végétaient.

Les humains sont comme les plantes. Ils ont besoin, eux aussi, d'un bon environnement pour grandir. Cet environnement est fait d'une foule de choses: s'il faut une bonne aération du local où l'on est, il faut aussi aérer le cœur par beaucoup d'amour qui circule entre les personnes; s'il faut un bon éclairage pour ne pas fatiguer les yeux, il faut aussi une bonne dose de respect mutuel pour ne pas exaspérer les sentiments; s'il faut une bonne température pour ne pas geler ou ne pas suer, il faut aussi un degré exact d'estime réciproque pour ne pas se déprimer ou ne pas se surévaluer...

Les éducateurs sont les jardiniers des humains

Les jardiniers, à bien y penser, ne font qu'aider chaque plante à devenir ce qu'elle est. Il ne vient pas à l'idée d'un jardinier de transformer une épinette en chêne, pas même de faire d'une épinette noire des Laurentides une épinette bleue de Norvège. Et si un merisier se prenait pour un autre au point de vouloir devenir un érable, par exemple, le jardinier aurait vite fait de lui rappeler ce qu'il est en vérité.

Le véritable éducateur ne transmet pas simplement des savoirs; il n'est pas qu'un agent d'instruction des jeunes. Les connaissances sont importantes, bien sûr: elles sont un peu comme l'eau qu'on verse sur les plantes pour les nourrir; mais, comme l'eau, elles respectent la nature profonde de la personne qu'elles nourrissent.

Le véritable éducateur ne transmet pas simplement non plus des savoir-faire; il n'est pas qu'un agent de formation des jeunes. Les habiletés sont importantes, bien sûr: elles sont un peu comme l'engrais que l'on met en terre pour que la plante soit plus vigoureuse et comme les coups de sécateur que l'on administre aux branches pour que l'arbre soit plus beau et plus adapté à son environnement; mais, comme l'engrais et les coups de ciseaux, elles ne touchent pas à l'identité propre de la personne qu'elles engraissent ou qu'elles taillent.

La première tâche d'un jardinier des humains, c'est de favoriser au maximum les savoir-être et les savoir-devenir-ce-que-l'on-est. C'est là qu'il est vraiment agent d'éducation. Si Patrick est un érable, que l'éducateur mette tout en œuvre pour qu'il devienne un magnifique érable; qu'il n'essaie pas d'en faire un pin! Si Jessica est une petite épinette, qu'il fasse tout son possible pour qu'elle devienne une merveilleuse épinette; qu'il ne la transforme pas en mélèze!

L'éducateur reconnaît la nature profonde des êtres humains, il accueille avec bienveillance et bienfaisance leur identité propre. Il devient pour eux un semeur, un producteur et un entreteneur d'espérance. S'il est capable de «dégager des vibrations d'espérance», comme disent les jeunes, c'est qu'il est lui-même un «espérant», c'est qu'il a une confiance énorme en la capacité de la plante, de l'être humain, de grandir, de devenir ce qu'ils sont en vérité et en puissance.

N'est-ce pas là le plus grand service qu'un jardinier puisse rendre à la plante? N'est-ce pas là le plus grand amour que l'éducateur puisse témoigner à la personne?

Les racines

On ne voit pas les racines d'une plante. Cela ne signifie pas qu'elle n'en a pas et qu'elles ne sont pas importantes. Allez faire tenir un arbre sur un seul pied sans ses racines! Allez faire grandir une plante sans ses racines!

Les racines sont les mains et les pieds de l'arbre qui vont chercher la nourriture dans le sol pour l'acheminer en sève bénéfique jusque dans la tête de ce géant. La sève, c'est le sang de l'arbre. Pas de sang, pas de vie. Pas de racines, pas de sang. Les racines, les humbles racines, sont vitales pour l'arbre.

Les racines sont la base de l'arbre, elles lui assurent solidité et équilibre. Plus l'arbre est grand, plus il doit prendre appui sur des racines profondes. Allez donc résister aux grands vents si vous n'avez pas de racines solidement implantées au creux de la terre! Les racines, les humbles racines, font tenir l'arbre debout! Et c'est beau, un arbre debout, comme un humain debout d'ailleurs!

Les racines n'ont pas de belles couleurs. Elles sont ternes. Elles sont peu attirantes. Elles n'ont pas la beauté des feuilles, des fleurs ou des fruits. Quand on les touche, on se salit les mains. Les racines n'ont pas choisi d'être des racines. Peut-être auraient-elles préféré être des fleurs, des fruits, des feuilles, brillant au soleil et attirant les regards. Il reste qu'elles sont des racines.

Les jardiniers savent très bien pourtant comme il est important de s'occuper des racines. Ils sarclent la terre. Ils l'engraissent. Ils l'arrosent. Ils la débarrassent des parasites et des mauvaises herbes. Tout ça pour avoir des racines saines et vigoureuses. Et alors toute la plante est belle et tout le monde est content.

Jean Vanier, ce prophète de notre temps, a prononcé un jour cette parole extraordinaire: «Les pauvres sont les racines de l'arbre de l'Église.» En s'inspirant de cette parole, ne pourrait-on pas dire ceci: dans un environnement éducatif, les racines, ce sont les humbles, les petits, les faibles, les pauvres, ceux et celles qui passent inaperçus et qu'on est porté même à négliger parfois? Et, par analogie, ne pourrait-on pas dire que, dans une personne, les racines, ce sont ses faiblesses, ses limites, ses handicaps, ses blessures?

Les pauvres n'ont pas choisi d'être pauvres. Ils sont souvent ternes eux aussi. On ne les écoute pas. Ils ne sont pas toujours intéressants. À leur contact, on risque de se salir... Ils sont parfois mal éduqués, mal habillés, malades... Les personnes n'ont pas toujours choisi leur faiblesse, leur handicap, leurs blessures... Il n'en reste pas moins qu'elles sont ce qu'elles sont, des pauvres.

Occupez-vous des racines, votre plante sera belle et solide. Occupez-vous des racines d'une personne: elle grandira en beauté et en solidité. Occupez-vous des racines de votre école, de votre classe, de votre famille, de votre communauté, de vos divers groupements: ils grandiront en beauté et en solidité. Et, à la manière des racines, ils contribueront à la bonne santé de l'ensemble.

Ne juge-t-on pas de la qualité et de la bonne santé d'une société ou d'une institution, aux soins qu'elles donnent à leurs plus démunis? C'est à faire réfléchir... même en éducation.

La Bible et l'arbre

L'arbre est tellement une source d'inspiration pour toute personne qui veut grandir ou qui veut aider à grandir qu'il devient un point de référence fréquent dans l'Écriture.

Quand Jésus veut montrer combien il est important d'être rattaché à lui pour être fécond au plan spirituel et apostolique, il prend la *vigne* comme point de comparaison *(Jean 15, 1-10)*. Un sarment de vigne ne peut pas porter du fruit tout seul, il a besoin d'être rattaché au cep: alors la même sève coule dans tout l'arbre et il porte de merveilleux fruits. Si Jésus avait vécu chez nous, il aurait sans doute pris l'exemple d'un pommier: il est évident qu'une branche séparée de l'arbre est condamnée à mourir et à être stérile, alors que si elle est fixée au tronc de l'arbre, quels merveilleux fruits elle va donner! Ce ne sont pas nécessairement les personnes qui se démènent à en crever qui portent du fruit aux yeux du Seigneur, ce sont celles qui sont rattachées à lui, qu'elles se démènent ou non!

Quand le Seigneur voudra enseigner la patience devant la croissance lente du Royaume et qu'il voudra aussi montrer qu'il ne faut pas juger sur les apparences seulement, il prendra l'exemple du *figuier stérile.* Comme il avait l'air productif, ce figuier! Pourtant, il était sans figues! Comme il aurait voulu qu'il porte déjà du fruit... mais ce n'était pas la saison des fruits. Rien ne sert de vouloir cueillir du fruit chez les gens avant la saison de leur production: on les épuise et on les décourage! Rien ne sert de vouloir «booster» les gens pour qu'ils produisent plus et plus vite, comme on fait aujourd'hui pour la sève de nos beaux érables: on les brûle en dépression et en *burn-out,* on les écœure... et finalement on hâte leur mort. Rien ne sert de sacrifier l'«être» au «paraître»: on s'enfonce alors tôt ou tard dans la fausseté et l'on déçoit amèrement les gens *(Matthieu 21, 18-22).*

Quand Jésus veut montrer qu'il faut de la tolérance dans la vie, qu'il faut accepter que tout ne soit pas parfait toujours et tout de suite, que le «chimiquement pur» n'existe que dans la tête des idéalistes et des perfectionnistes, il recourt à la parabole du *bon grain et de l'ivraie:* laissez-les pousser les deux ensemble, ne cherchez pas trop à enrayer les défauts, appliquez-vous à faire grandir le tout; vous verrez bien à la fin à faire le tri, et à garder ce qui mérite de l'être *(Matthieu 13, 24-30).*

Le psalmiste n'hésite pas à comparer la personne qui médite jour et nuit l'enseignement du Seigneur à *un arbre planté sur le bord du ruisseau:* il jouit de la lumière, de l'eau de la rivière et de l'humidité du sol; «il produit ses fruits quand la saison est venue et son feuillage ne perd jamais sa fraîcheur» *(Psaume 1, 3).*

Et ainsi de suite.

L'harmonie de l'arbre

Arrêtez-vous à contempler un grand orme dans la plaine. Prenez le temps d'admirer ce chef-d'œuvre d'harmonie: un panache superbe qui flamboie en bouquet de verdure magnifique au bout d'un tronc puissant et droit! Quelle unité, quel équilibre! Mais n'oubliez pas les racines: sans elles, cette beauté serait couchée par terre. Elles sont aussi profondes que l'arbre est grand, paraît-il. En profondeur et en largeur. De partout, cette splendeur s'épanouit: des pieds à la tête, du royaume des ténèbres à la cité de la lumière!

J'ai toujours pensé que les humains étaient un peu comme mon grand orme! Plus on a de panache, plus il faut des racines solides! Plus on est élevé dans le ciel, plus il faut s'alimenter de sève puisée dans le sol de la réflexion, de l'étude, de la prière aussi.

Si l'arbre veut vivre en harmonie avec lui-même, il faut que sa tête (le bouquet), ses pieds (les racines) et son cœur (le tronc) soient bien à leur place et surtout qu'ils soient inter-reliés de façon harmonieuse. Il y a des gens déséquilibrés: ils ont grosse tête, mais petit cœur et petits pieds; ou bien ils ont grand cœur, mais petite tête et pieds menus; ou bien ils ont grands pieds mais petite tête et cœur atrophié. Tout est affaire d'équilibre: il faut de l'étude et de la réflexion, mais il faut aussi de l'amour, et encore de l'action pour servir les gens et les aider à bien grandir. Les savants qui ne prient pas, qui n'aiment pas, qui ne s'engagent pas pour leurs frères et sœurs de la terre, sont comme un arbre qui n'aurait que de la tête! Les priants qui ne réfléchissent pas et qui ne se dévouent pas pour leurs proches d'une manière ou d'une autre, sont comme un arbre qui ne serait que tronc! Les gens d'action qui ne prient pas et qui ne réfléchissent pas sont comme un arbre qui n'aurait que des racines!

L'arbre assure son unité et son équilibre par la vie qui circule en lui, par la sève qui l'alimente des pieds à la tête. Et aussi par la lumière qu'il synthétise dans son feuillage et qui le nourrit merveilleusement. La sève de nos vies est affaire d'intériorité: une grande passion qui nous brûle tout l'être, c'est cela qui unifie notre vie. La lumière qui nous nourrit nous vient de l'extérieur: ce sont les travaux que nous entreprenons avec cœur, courage et joie, et qui nous font littéralement vivre; ce sont aussi les gens avec qui et pour qui nous œuvrons, qui sont un puissant moteur pour stimuler notre élan de vie...

Mon grand orme a ses saisons. Le printemps, il explose en vie: il pétille en bourgeons et fabrique joyeusement le vert clair de ses feuilles; il nous enseigne qu'il y a un temps dans la vie pour produire, pour être enthousiaste et donner de la joie aux autres! L'été, il travaille: il se développe, son tronc s'élargit, son bouquet s'amplifie, ses racines creusent le sous-sol; et puis il nous donne de l'ombre par grande chaleur et il réjouit notre regard par sa splendeur souveraine; en pratiquant tranquillement la charité envers les humains, il nous enseigne à faire de même! L'automne, il fait ses valises: il se prépare au grand voyage de l'hiver; mais il nous enseigne à ralentir dans la vie nous aussi; et puis il nous offre le spectacle de ce que c'est que de vieillir un peu plus à chaque année... dans la beauté de son feuillage rouillé par l'usure et le temps! L'hiver, il se repose: il prend des vacances, il dort, il refait ses forces pour l'éclatement du printemps; il nous enseigne à récupérer nous aussi, à nous garder des espaces et des temps pour nous refaire!

N'est-ce pas que mon grand orme, dans l'harmonie de ses parties et dans l'unité de son être, est un grand maître?

La «convivence» des arbres

Faites une promenade dans un boisé de la montagne, dans une réserve faunique ou carrément dans une forêt.

Ce qui frappe d'abord, c'est la paix et le calme que cet environnement botanique dégage. En fait, cette paix et ce calme, qui peu à peu nous pénètrent jusqu'à l'âme, ne sont pas le résultat d'un «vivre-ensemble» statique. Les plantes, comme les humains, cherchent toutes à avoir leur place au soleil. Et, comme eux, elles doivent parfois se débattre pour y arriver. L'harmonie et la tranquillité des plantes sont des réalités vivantes qui se construisent à chaque jour: elles poussent les unes à côté des autres en se respectant mutuellement, en s'acceptant différentes, mais complémentaires, bien souvent. Les fougères et la mousse sont contentes de fabriquer un tapis de verdure aux grands arbres. Et ces géants, qui balancent leur tête au grand vent et élèvent leurs bras jusque dans l'azur, sont fiers de leur donner de l'ombre et de les protéger des bourrasques et des coups de soleil.

Ce qui frappe ensuite, c'est la variété des plantes. Des plus petites aux plus grandes, des plus humbles aux plus puissantes, des nouveau-nés jusqu'aux adultes puissants et aux vieillards expérimentés, toutes ont leur place. Le grand pin blanc vit en harmonie avec l'érable à sucre; le bouleau noir n'envie pas le chêne majestueux, le peuplier ne cherche pas à déraciner le tremble. Les plantes se réjouissent d'être ensemble: chacune est contente des qualités de l'autre et chacune laisse vivre l'autre en douceur et en autonomie. Et toutes sont heureuses d'apporter leur modeste contribution à la beauté du décor.

Les plantes de la forêt sont des plantes de communion: elles ne vivent pas comme des îles; elles vivent avec d'autres dans le respect et l'estime réciproques.

Quelles leçons pour nos communautés!

Conclusion

Si vous avez la chance de posséder un lopin de terre, faites-y un potager, cultivez-y des fleurs, plantez-y des arbres. Regardez-les pousser en silence mais aussi en beauté et en puissance. Entretenez-les: aidez-les à grandir. Mettez-vous à genoux sur le sol: le contact avec la terre est tonifiant, comme le contact avec une bonne mère. Adossez-vous à vos arbres: ils vous communiqueront leur énergie. Si le cœur vous en dit, parlez-leur: dites-leur votre joie d'être avec eux, votre confiance en leur croissance, votre amour. Et puis réfléchissez: laissez-vous enseigner par ces grands maîtres aussi tranquilles que sages, aussi vivants que généreux.

Faites faire la même chose à vos élèves, à vos enfants, à vos amis. Qu'ils cultivent un jardin, qu'ils aient un bout de plate-bande bien à eux, qu'ils plantent un arbre. Et qu'ils s'en occupent: on n'abandonne pas les êtres à qui l'on donne vie! Alors, eux aussi, à leur façon adaptée à leur âge et à leur tempérament, ils découvriront dans l'émerveillement la grande sagesse des plantes et leur capacité extraordinaire de nous apprendre à vivre!

Si vous voulez faire un beau cadeau à une personne que vous aimez, ne lui achetez pas des fleurs coupées et encore moins des fleurs en plastique. Offrez-lui plutôt des fleurs bien vivantes qu'elle pourra arroser, nourrir, contempler, bref, qu'elle pourra faire vivre et qui l'aideront en retour à bien vivre elle aussi. Si elle possède un coin de terre, donnez-lui un arbre, une petite épinette ou un érable, peu importe: elle le plantera, fera tout pour qu'il grandisse bien; au fond, l'arbre et son propriétaire s'aideront mutuellement à grandir!

Et si vous n'avez pas les moyens d'offrir un arbre ou un pot de fleurs, donnez-lui simplement un sachet de graines de fleurs ou de légumes et dites-lui de les semer pour vous faire plaisir... tout simplement. Elle vous trouvera peut-être un peu drôle sur le coup, mais quand elle les verra se transformer en fleurs ou en fruits, elle viendra vite vous remercier!

Et vous serez de merveilleux éducateurs!

Pour conclure...

Rien ne sert de tirer sur les pétales d'une fleur
pour la faire pousser plus vite: elle mourra.
Il vaut mieux lui fournir
l'air, la lumière, l'eau et le sol qui lui conviennent
pour qu'elle puisse grandir en beauté.
Il faut surtout respecter ses rythmes de croissance,
vivre d'espoir et l'aimer.
AINSI EN EST-IL DES HUMAINS... ET DES CHRÉTIENS!

Il est inutile de vouloir faire une rose avec une marguerite.
Ce que nous pouvons faire de mieux pour elle,
c'est l'aider à devenir une belle marguerite.
AINSI EN EST-IL DES HUMAINS... ET DES CHRÉTIENS!

Les plantes poussent bien quand on s'en occupe
avec attention, respect et amour.
Elles poussent mal quand on les étouffe
dans la poussière, la fumée et les pluies acides.
AINSI EN EST-IL DES HUMAINS... ET DES CHRÉTIENS!

Gardez une plante à l'abri des courants d'air:
mettez-la sous une cloche de verre,
cultivez-la en serre chaude.
Dès qu'elle ira au grand vent,
elle attrapera un rhume ou une grippe;
elle en mourra peut-être.
AINSI EN EST-IL DES HUMAINS... ET DES CHRÉTIENS!

Nous acceptons qu'une plante
perde une feuille ou une fleur de temps en temps;
nous comprenons qu'elle nous donne un fruit avarié, parfois;
nous tolérons qu'elle pousse une branche crochue à l'occasion.
Nous nous gardons de l'idéalisme et du perfectionnisme.
Et nos plantes poussent en paix.
AINSI EN EST-IL DES HUMAINS... ET DES CHRÉTIENS!

Les arbres grandissent bien
quand ils gardent un bon équilibre
entre leurs racines, leur tronc et leur feuillage.
AINSI EN EST-IL DES HUMAINS... ET DES CHRÉTIENS!

On perd son temps
à essayer de faire pousser
des cactus au Labrador
ou des érables au Mexique.
AINSI EN EST-IL DES HUMAINS...
ET DES CHRÉTIENS!

Ainsi,
nous ne serons plus des enfants.
Nous ne nous laisserons pas emporter
par la vague et le vent
d'un enseignement colporté par des imposteurs
astucieux et rusés,
habiles à entraîner les gens dans l'erreur.

Bien au contraire,
en vivant dans la vérité et dans l'amour,
nous grandirons
en tout
vers le Christ, qui est la tête.
Grâce à lui,
le Corps tout entier est solidement assemblé,
bien uni par toutes les jointures qui le composent.

Alors,
quand chaque partie joue son rôle,
le Corps au complet grandit
et se développe dans l'amour.

Éphésiens 4, 14-16

TABLE DES MATIÈRES

TABLE DES NARRATIONS

NEATH GENERAL HOSPITAL

The Clinician's Guide to Chronic Disease Management for Long-term Conditions

WM505
FUR

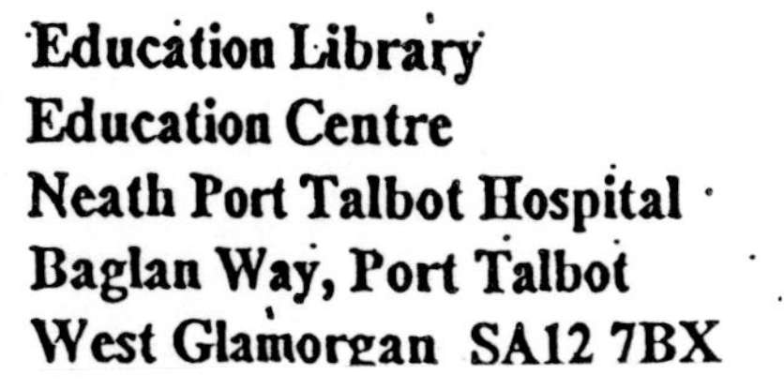
Education Library
Education Centre
Neath Port Talbot Hospital
Baglan Way, Port Talbot
West Glamorgan SA12 7BX

2008/178

Also of interest from M&K Publishing.

Books can be ordered online at: www.mkupdate.co.uk

The Management of COPD in Primary & Secondary Care
ISBN: 978-1-905539-28-4

Issues in Heart-Failure Nursing
ISBN: 978-1-905539-00-0

Nurse-Facilitated Hospital Discharge
ISBN: 978-1-905539-12-3

Routine Blood Results Explained, 2nd edn.
ISBN: 978-1-905539-38-3

Practical Prescribing for Musculoskeletal Practitioners
ISBN: 978-1-905539-09-3

Pre-Teen and Teenage Pregnancy
ISBN: 978-1-905539-11-6

Inter-Professional Approaches to Young Fathers
ISBN: 978-1-905539-29-1

Interpersonal Skills Workbook
ISBN: 978-1-905539-37-6

Loss & Grief Workbook
ISBN: 978-1-905539-43-7

Identification and Treatment of Alcohol Dependency
ISBN: 978-1-905539-16-1